Maria Voltolina

L'ITALIANO È SERVITO!
L'ITALIANO PER STRANIERI ATTRAVERSO LA CUCINA

Guerra Edizioni

I edizione
© Copyright 2008
Guerra Edizioni - Perugia

ISBN 978-88-557-0006-1

Guerra Edizioni
via Aldo Manna 25
06132 Perugia (Italia)
tel. +39 075 5289090
fax +39 075 5288244
e-mail: info@guerraedizioni.com
www.guerraedizioni.com

Progetto grafico / artdirection
salt & pepper_perugia

Fotografie
Iriscolor_perugia

L'Editore ringrazia il ristorante "Caffè di Perugia", in particolare il titolare
Dott. Leonardo Servadio e la direttrice Dott. Laura Formenti, per l'eccezionale
disponibilità e squisita accoglienza.

Via Mazzini, 10 - Perugia

Un sentito ringraziamento alla brigata di cucina, per la splendida realizzazione delle
ricette contenute in questo libro.

Maria Voltolina

L'ITALIANO È SERVITO!
L'ITALIANO PER STRANIERI ATTRAVERSO LA CUCINA

Guerra Edizioni

INDICE

METTIAMO IN TAVOLA

I PRIMI

I SECONDI DI CARNE

I SECONDI DI PESCE

I CONTORNI

PER FINIRE: FORMAGGI, DOLCI, CAFFE' E DIGESTIVO

IL PIATTO UNICO: PIZZA, PANINO, TOST, STUZZICHINI

I PASTI DELLE FESTE

PRESENTAZIONE

A TAVOLA, GLI ITALIANI PARLANO DEL CIBO

Sono pochissime le culture in cui, mentre si mangia, si parla del cibo, si commentano i piatti come se si stesse scrivendo un articolo per una rivista di cucina, ci si scambia ricette, si discute sull'opportunità di mettere più aglio... In Italia questo avviene, in ogni tavola, e lo stesso succede per il vino, per l'aceto, l'olio – e perfino per l'acqua minerale, da qualche anno!

Il piacere della tavola è anche un piacere dell'identità ("noi toscani non ci mettiamo l'aglio!"), delle proprie tradizioni familiari ("mia nonna usava solo cipolle rosse"), dell'accoppiamento raffinato ("questo vino bianco è troppo profumato e copre il sapore del pesce") – ma è soprattutto il piacere di parlare, tra le tante cose, del cibo e delle bevande: in altre parole, è a tavola che si tramanda di generazione in generazione la cultura del cibo.

La cultura del cibo in Italia è il risultato di un contrasto storico: i celti, venuti dal Nord-Est dell'Europa, che hanno portato la cultura del maiale e del burro, che domina nell'Italia settentrionale; i greci e i latini, popoli mediterranei, che privilegiavano l'agnello e l'olio.

C'è poi la differenza storica, tra gli abitanti delle coste, dove prevaleva la cucina del pesce e della verdura fresca, e quelli delle colline e delle montagne che usavano carne e verdure che si conservavano a lungo, per l'inverno, come le zucche; tra il grano tenero del Nord, che va bene per pane e tagliatelle, e il grano duro del Sud che è indispensabile per la pasta; dopo l'arrivo delle verdure americane, il Sud è diventato il regno del pomodoro e del peperone, magari piccante, mentre il Nord è vissuto per secoli con la polenta di mais e le patate...

Ogni regione italiana ha la sua cucina, erede di almeno 15 secoli di storia autonoma rispetto alle altre regioni; ogni città di ogni regione ha le sue specialità, e ogni famiglia le interpreta secondo la propria tradizione: può capitare di trovare adolescenti che sembrano del tutto distaccati dalle tradizioni ma che, di fronte a una pasta asciutta, discutono sul principio "il ragù che fa la mia mamma è più saporito"!

Questo libro quindi non è un libro sulla cucina italiana: servirebbe una biblioteca intera per trattare questo tema! È un libro sul piacere che gli italiani trovano nel cibo preparato rispettando le diverse tradizioni, cercando ingredienti che provengono dalla regione da dove proviene quel piatto, sforzandosi di usare prodotti in cui la semplicità e la genuinità diventano sempre più importanti. Ed è, ovviamente, un libro di italiano, per studenti interessati alla nostra lingua ma anche alla sua cultura "materiale".

Abbiamo organizzato questo libro secondo la successione tipica di un pranzo tradizionale italiano – anche se ormai raramente i pranzi sono così sostanziosi:

antipasto, primo, secondo, contorno, frutta, dolce, caffè, digestivo.

Abbiamo poi aggiunto, visto che spesso gli italiani non rientrano più a casa per il pranzo di mezzogiorno, i pasti con piatto unico – pizza, panino, tost, stuzzichini; infine abbiamo presentato i piatti legati a specifiche feste, da Carnevale a Natale. E, poiché la cucina è cultura, l'abbiamo vista anche in una delle forme di cultura "alta", la letteratura.

Il tutto, ricordandoci che questo è un libro di italiano, di lingua, oltre che di cultura e di... piacere!

GLOSSARIO ESSENZIALE

Nelle varie ricette troverai, di volta in volta, le parole che ti servono per alcuni piatti specifici. Qui trovi alcuni termini di uso molto frequente che riguardano sia oggetti della cucina e della tavola, sia alcune azioni tipiche dell'italiano della cucina.

GLI ELETTRODOMESTICI

■ Cucina a gas, con piano di cottura e forno

■ Lavastoviglie, lavapiatti

■ Frigorifero, frigo; in alto il freezer o congelatore

■ Bilancia (elettronica)

■ Griglia (elettrica)

■ Forno a microonde

■ Affettatrice

■ Sbattitore (elettrico)

■ Robot multifunzione

■ Frullatore

■ Macchina del pane

GLI STRUMENTI

■ Mestolo

■ Forchettone

■ Frustino

■ Cavatappi

■ Grattugia

■ Pentola

■ Pentola a pressione

■ Padella antiaderente
(che non attacca)

■ Casseruola

■ Stampo (da torta)

■ Tegame

■ Colapasta

■ Tagliere

■ Mezzaluna

■ Palette di metallo e di legno

■ Colino

■ Tritaprezzemolo

■ Tritacarne

■ Frustini

■ Barattolo (da conserva)

■ Spago (il termine corretto è refe)

■ Matterello

LE AZIONI

■ Arrostire: cuocere al forno
■ Bollire, lessare: cuocere dentro acqua bollente

■ Affettare

■ Intingere (del pane in una fonduta di formaggio)

■ Annaffiare, versare del vino

■ Frullare

■ Amalgamare, mescolare con un frustino

■ Mescolare velocemente, battere

■ Tagliare a pezzetti, spezzettare

■ Servire (un piatto di verdure)

■ Sminuzzare, tritare su un tagliere

■ Friggere: cuocere dentro olio bollente

■ Grigliare: cuocere su una griglia posta su delle braci

■ Soffriggere: friggere con poco olio delle verdure aromatiche come base per un sugo o per un arrosto

■ Stufare: cuocere sul fornello a fuoco bassissimo

■ Spalmare

■ Spargere

■ Spezzare

■ Squamare (il pesce)

  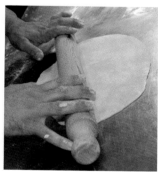

■ Tagliare

■ Tirare, stendere la pasta con un matterello

■ Stendere la pasta (in una teglia da forno)

■ Versare e colare con un colino

■ Versare e decorare

CELTI, GRECI, LATINI: LA CUCINA RACCONTA LA STORIA

Per migliaia di anni popoli dell'Europa del Nord, dell'Asia, dei vari Paesi del Mediterraneo hanno invaso l'Italia, portandosi dietro le loro abitudini, le loro lingue, i loro modi di combattere – e anche le loro verdure, la frutta, gli animali delle zone da cui provenivano. Per questo in Italia a tavola convivono due mondi: il mondo dell'Europa del Nord e dell'Asia, e il mondo del Mediterraneo.

■ Bassorilievo romano che mostra la bottega di un venditore di vino e cervesia, la birra di origine celtica.

LA CUCINA CELTICA

Poco pesce, tanto maiale; poco olio, tanto burro: queste sono le caratteristiche culinarie di questo popolo che, cinque-sei secoli prima di Cristo, invade l'Italia fino a Roma, e poi torna verso Nord, occupando parte delle Marche, la Pianura Padana, la Francia e l'Inghilterra. I celti erano tribù nomadi e quindi si portavano dietro bovini, cioè buoi usati per trainare carri e mucche che fornivano latte, e maiali, che mangiavano di tutto e che dopo un anno davano carne, che veniva conservata affumicandola o salandola.

Questi popoli usavano grassi di origine animale, cioè il burro, che viene dal latte, e il lardo, cioè il grasso del maiale; se usavano olio, questo era fatto di semi di girasole o di altre piante.

La bevanda alcolica più comune veniva dal grano fermentato ed era un tipo di birra molto leggero. Ancora nel Seicento Francesco Redi, in un poemetto dedicato al vino (che trovi a pagina 122), scrive contro la *cervogia* (da cui lo spagnolo *cerveza*, cioè "birra") e dice:

chi vuol gir presto alla morte   (chi vuole morire giovane
le bevande usi del Norte   beva le bevande del Nord Europa)

■ Come vedi in questo affresco, a Roma gli uomini mangiavano sdraiati su un lettino, il triclinio, mentre le donne mangiavano sedute.

■ Bassorilievo romano che mostra una macelleria. Attaccati al tetto ci sono pezzi di carne; il macellaio sta tagliandone un pezzo a fette; a sinistra puoi anche vedere la bilancia.

LA CUCINA MEDITERRANEA

I greci conquistarono l'Italia del Sud mentre i latini si affermavano nell'Italia centrale: anche se erano due civiltà diverse, per quanto riguarda la cucina erano molto simili. Anche nell'Italia greco-latina i buoi servivano per trainare carri ed aratri e le mucche davano il latte, e per questo non si mangiavano spesso, se non in occasione dei sacrifici offerti agli dei: sull'altare si bruciavano le ossa ed il grasso, mentre gli esseri umani mangiavano la carne arrostita…

La carne veniva soprattutto dalle pecore e dal pesce, ma era poco usata perché c'era una grande quantità di verdure – anche se dobbiamo ricordare che fino alla scoperta dell'America mancavano le patate, i peperoni e i pomodori. Il maiale era conosciuto in tutta Italia, dopo le invasioni celtiche, ma nel Centro e nel Sud c'era troppo caldo per poter conservare la carne con sicurezza.

Il burro era sconosciuto, per cui i cibi venivano conditi con olio d'oliva; e la bevanda alcolica più diffusa era il vino, visto che la vite cresceva spontanea in tutto il bacino del Mediterraneo – mare che per i latini era "il nostro mare", il grande lago interno dell'Impero Romano, da cui giungevano tutti i tipi di frutta e di verdura che oggi fanno ricca la cucina italiana.

LA SINTESI DI DUE MONDI

Ancora oggi, dopo più di duemila anni, la cucina italiana è la sintesi di due mondi – a cui aggiungere l'influsso arabo nella cucina del Sud, soprattutto in Sicilia (dove gli arabi sono restati alcuni secoli).

Oggi sono giunte anche in Italia le mille mode della cucina internazionale – dalla *nouvelle cuisine* al *fast food* alle cucine orientali – ma sono sentite come cose estranee, straniere, diversamente da quel che succede in molti paesi occidentali dove ormai la cucina cinese o quella messicana fanno parte della quotidianità.

Affermarsi: prendere possesso, dominare.
Affumicare: modo di conservare la carne e il pesce, lasciandoli a lungo in una stanza piena di fumo in modo che i batteri muoiano.
Bacino: zona, area delimitata da confini chiari.
Bovini: tipo di mammiferi a cui appartengono le mucche, i tori, i buoi (cioè tori castrati), i vitelli (bovino ancora giovane) e i manzi (bovino quasi adulto).
Culinario: che riguarda la cucina.
Fermentare: lasciare che frutta o verdura, con l'aggiunta di acqua, sviluppino zuccheri e alcol.
Invaso: da "invadere", occupare con forza militare.
Nomadi: popoli che non sono stabili in una regione, ma si spostano continuamente.

FACCIAMO IL PUNTO

a. Le tribù celtiche venivano da _____ .

b. Dal Mediterraneo invece venivano _____ .

c. La bevanda alcolica dei celti era la _____ , mentre quella dei greci e dei latini era il _____ .

d. I celti usavano carne di _____ e i grassi erano costituiti da _____ .

e. I greco-latini usavano carne di _____ e di _____ e i grassi erano costituiti da _____ .

f. Oltre alla cucina greco-latina e a quella celtica, in Italia, specialmente al Sud, si sente l'influsso della cucina _____ .

COMUNI, SIGNORIE, REGIONI:

Circa 1600 anni fa crolla l'Impero Romano, che aveva unificato il mondo conosciuto e portato in Italia prodotti, cibi, cucine di tutti i popoli. L'Italia diventa poverissima, la popolazione si dimezza, ogni villaggio o città deve lottare contro i barbari e contro i vicini per sopravvivere.

I COMUNI

Per cinquecento anni la miseria e la povertà dominano, poi lentamente alcune città cominciano a ri-organizzarsi, stabiliscono rapporti commerciali, ricominciano a trasportare merci e persone nel Mediterraneo: nascono i "comuni", cioè delle vere e proprie città-stato, autonome, governate da un'assemblea popolare.

Ogni comune deve difendersi contro quelli vicini, per non essere assorbito. La difesa è sia militare (tutte queste città sono protette da mura, torri, porte) sia culturale: ogni comune esalta al massimo la propria individualità, il proprio stile artistico – e della cultura fa parte anche la cucina, insieme a feste e tradizioni.

LE CENTO CUCINE D'ITALIA

LE SIGNORIE

Intorno al 1300-1400 i comuni più potenti conquistano quelli più piccoli e diventano delle potenze regionali.

In questa fase la "democrazia borghese" dei primi secoli finisce; alcune famiglie dominano il comune e, dopo sanguinose guerre civili, in ogni grande comune una famiglia prende il potere, che diventa ereditario: i Savoia a Torino, gli Sforza e i Visconti a Milano, gli Estensi a Ferrara, i Gonzaga a Mantova, i Medici a Firenze, per citare solo i più importanti.

Ci sono tre eccezioni: Venezia, una repubblica che durerà mille anni; Roma e parte del centro Italia, che rimangono sotto il dominio papale; il Sud, che passa dal dominio normanno a quello aragonese e poi spagnolo.

L'Italia quindi è separata in Stati spesso in guerra fra loro, ed è il momento di massimo splendore, dopo i secoli di Roma: le signorie italiane sono la superpotenza d'Europa e del Mediterraneo – e si sentono sempre più autonome, legate solo dalla stessa lingua e cultura. Si mettono in questo periodo le basi per le cucine regionali.

LE REGIONI

Nel 1861 nasce il Regno d'Italia (che ancora non comprende Venezia e il Nord-Est): solo il 2,5% della popolazione parla italiano, se si escludono la Toscana e Roma: ogni regione ha la sua lingua (il "dialetto"), la sua storia, il suo stile artistico, le sue tradizioni – *la sua cucina!*

Oggi l'Italia parla la stessa lingua, tutti fanno il tifo per la nazionale di calcio e per la Ferrari – ma non dite a un emiliano che i tortellini sono buoni anche a Firenze, e non dite a un napoletano che la pizza è buona anche a Milano. Gli italiani rimangono attaccati alle loro tradizioni culinarie, anche se al supermercato, se vai ad esempio al banco del pane, i nomi sono chiari: pane di Altamura (città della Puglia), pane ferrarese, pagnottine mantovane, pane toscano, pane carrasau della Sardegna…

ESISTE LA CUCINA ITALIANA?

NO E SÌ.

Non *esiste una cucina italiana* uguale in ogni parte d'Italia. Gli italiani morirebbero se in un ristorante di Palermo trovassero dei piatti identici a quelli di Roma o di Torino. Gli italiani non vogliono una cucina italiana, vogliono la *loro* cucina, cioè quella della loro regione se non del loro comune.

Ma *esiste una cucina italiana* perché ogni italiano che passa da Battipaglia, in Campania, va a comprare le mozzarelle di bufala, e se si trova a Bari chiede "orecchiette con le cime di rapa", a Bologna chiede "tortellini" e in Sardegna ordina "porceddu", il porcellino da latte cotto alle braci.

FACCIAMO IL PUNTO

a. In che periodo della storia italiano trovi

   - comuni: _____ - signorie: _____   - regioni: _____

b. Perché si può dire che non esiste una cucina italiana?

c. Perché si può dire che esiste una cucina italiana?

d. Perché si trovano negozi di cucina non italiana?

Barbari: popolazioni nord-europee e asiatiche che invadono l'impero romano.
Stabiliscono: aprono, creano.
Borghese: guidata dalle classi borghesi: medici, mercanti, ecc.
Banco: settore, scaffale.
Bufala: una specie particolare di mucca.

LE DIFFERENZE REGIONALI NEL LESSICO DELLA CUCINA

Il branzino è uno dei pesci più comuni e buoni sulle coste italiane: ma se tu sei in Sardegna o a Napoli non lo trovi nel menù, anche se vedi che viene servito ad altri tavoli: infatti, nel Tirreno il branzino viene chiamato *spigola*, così come a Venezia non trovi le *cicale di mare* ma le *canocie* o, italianizzate, le *canocchie*, così come i polipetti sono *folpeti*...

Il problema esiste ed è forte, per un turista – e lo è anche per gli italiani! La causa è quella che abbiamo visto nelle pagine precedenti:

a. da un lato abbiamo secoli e secoli di storia a mosaico, per cui ogni porto, ogni comune, ogni zona aveva il suo dialetto e con questo parlava della sua cucina, dei pesci, della carne, della frutta;

b. dall'altro c'è la tendenza degli italiani a non abbandonare la tradizione culinaria della loro regione, e quindi a conservare non solo la scelta dei prodotti e il modo di cucinarli, ma anche le parole con cui descriverli.

In questo libro troverai i termini più diffusi, quelli che vengono capiti da tutti gli italiani, anche se talvolta preferiscono usare i termini tipici della loro regione. Tra le principali differenze, tanto per darti un'idea della variabilità, troviamo:

Acciughe: piccoli pesci che nel Centro-Sud sono detti anche alici

Anguria: al Nord è detta cocomero, e al Sud è anche detta mel(l)lone

Bistecca: fetta di carne che in Toscana è quella che in altre parti d'Italia chiamiamo fiorentina

Braciola: che al Nord è detta anche nodino

Branzino: sulla costa del Tirreno è detto spigola

Carré di maiale: in Toscana, ma sempre più diffuso, è arista

Cefalo: nell'alto Tirreno è detto muggine

Scorfano: nell'alto Tirreno è detto pesce cappone

Vongole: che nel Tirreno vengono dette arselle

Brioche: che nel Centro-Sud viene chiamata cornetto

Anguilla: nel centro Italia viene chiamata capitone

METTIAMO IN TAVOLA

Prima di cominciare a mangiare bisogna preparare la tavola (*apparecchiare* è la parola giusta).

Quella che vedi nella foto è una tavola formale – ma gli oggetti non cambiano in una tavola preparata per amici: hai due *piatti* (un piatto *piano*, sotto, e un piatto *fondo*, o *fondina*, sopra, per la pasta asciutta o la minestra); a destra hai il *cucchiaio* e il *coltello*, a sinistra la *forchetta*, in alto coltello e forchetta da frutta e cucchiaio da dolce, più piccoli degli altri. Cucchiai, forchette e coltelli sono le *posate*. A destra c'è anche il *tovagliolo*, che in molte zone è chiamato *salvietta*.

Vedi anche due *bicchieri*: a *calice*, cioè con un *gambo* centrale: uno piccolo è per il vino, l'altro per l'acqua.

Quando ti siedi a tavola trovi anche acqua, vino, pane – e sei pronto per ordinare il tuo pranzo, che nella tradizione inizia con un antipasto. Spesso oggi si mangia un antipasto e un primo oppure un antipasto e un secondo, ma nei pasti ufficiali o tradizionali dopo l'antipasto ci sono un primo (o due, tre primi...) e *anche* uno o più secondi...

In questa prima sezione del volume parleremo degli antipasti tipici italiani: qui faremo una generalizzazione, perché in realtà ogni zona ha i suoi antipasti tipici, ed è proprio negli antipasti che prevalgono i prodotti locali.

ACQUA E VINO, OLIO E ACETO, SALE E PEPE

■ Fino a qualche decennio fa le donne non bevevano vino a tavola – ma oggi molti sommelier sono donne!

Nei titoletti di queste pagine vediamo tre coppie che compaiono su ogni tavola – coppie di nomi che non puoi rovesciare: non esiste "aceto e olio", ma solo "olio e aceto"!

"Sale e pepe" non hanno caratteristiche specifiche che differenzino l'Italia dagli altri Paesi, mentre "acqua e vino" e "olio e aceto" sono particolari della nostra cultura del cibo.

ACQUA E VINO

Anche se i giovani italiani amano molto la birra, soprattutto con gli hamburger o la pizza, a tavola si bevono quasi sempre acqua e vino.

Fino a qualche anno fa "acqua" era un concetto semplice – ma oggi si usa molto l'acqua minerale e quindi si deve scegliere tra:

- *liscia* o *naturale*, cioè senza gas naturale o aggiunto;
- *effervescente naturale* o *leggermente frizzante*: molte acque di origine vulcanica (e l'Italia è un Paese molto vulcanico) hanno una leggera effervescenza naturale, cioè hanno delle micro-bollicine di gas;
- *gassata* o *con gas* o *frizzante*, cioè acqua alla quale è stata aggiunta anidride carbonica, il gas che la rende frizzante.

Sempre più spesso ci sono persone che non si limitano a chiedere "un'acqua minerale", ma indicano anche la marca o il tipo, come se si trattasse di una scelta di vini.

Il vino è un problema più serio, a tavola: l'Italia è uno dei grandi produttori mondiali di vino di qualità e quindi la scelta è difficile.

Tradizionalmente si preferisce iniziare con un vino frizzante, ad esempio un prosecco, come aperitivo, e poi passare a vini bianchi se si mangia pesce o vini rossi se si mangia carne, per concludere con un vino dolce per il dessert – ma sempre più spesso la scelta del vino dipende dai gusti personali oltre che da ciò che si mangia.

LO SPRITZ

È un aperitivo semplice, tradizionale nel Veneto, ma oggi sempre più bevuto in Italia.

Che cosa serve

40% vino bianco, preferibilmente prosecco; 30% seltz o acqua minerale gassata; 30% un aperitivo leggero (di solito Aperol) o abbastanza alcolico (il più diffuso è il Bitter Campari); qualche cubetto di ghiaccio; un'arancia o un limone; patatine fritte, nocciolineamericane, olive.

Come si prepara

Versare in un bicchiere il vino, aggiungere l'acqua gassata e infine un dito di Aperol (e una scorza di arancia) o di Bitter (e una scorza di limone). Molti mettono anche qualche cubetto di ghiaccio e un'oliva verde, infilata in un lungo stuzzicadenti.

Come si serve

Appena preparato, accompagnato da patatine fritte o salatini.

Un dito di vino: significa "un po' di vino", cioè si deve riempire il bicchiere per l'altezza di un dito orizzontale, quindi un centimetro o poco più.
Le quantità piccole possono essere indicate anche con altre espressioni:
- un *goccio* di cognac
- una *noce* di burro
- una *spruzzata* di aceto
- una *spolverata* di zucchero

OLIO E ACETO

Per friggere si può anche usare olio di semi, ma a tavola gli italiani vogliono olio d'oliva – e ciascuno ha le sue preferenze, di solito espresse con riferimento alla regione: "olio pugliese", "toscano" ecc. L'olio è vergine se è fatto solo con la polpa delle olive, ed è extravergine se la spremitura è fatta in maniera tradizionale, senza scaldare o centrifugare le olive.

Anche l'aceto, come l'acqua, una volta era una cosa semplice – ma da qualche anno c'è almeno una scelta: aceto di vino, cioè ottenuto dal vino diventato acido, e aceto balsamico, secondo la tradizione di Modena, in Emilia: è un aceto ottenuto facendo invecchiare il mosto cotto per molti anni in piccole botti di legno. Mentre l'aceto normale si usa generalmente per condire l'insalata o per cuocere alcuni piatti, quello balsamico, soprattutto se è di buona qualità, può accompagnare il formaggio parmigiano, la mozzarella, le fragole, la carne… ma viene usato a gocce, perché è davvero molto saporito e… costoso.

IL PINZIMONIO

Olio e aceto, sale e pepe, mescolati in una ciotola, sono utilizzati per intingere il "pinzimonio", cioè un antipasto di verdure crude – ad esempio sedano, peperoni, carote, cetrioli – tagliate a bastoncino.

Centrifugare: mettere in una centrifuga, un'apparecchiatura che fa girare velocemente il contenuto separandone le varie componenti.
Ciotola: una tazza dal bordo molto basso.
Intingere: bagnare leggermente, ad esempio immergendo per un momento un pezzo di sedano nell'olio.

■ Originaria del Centro-Sud, l'oliera in rame o stagno (detta "olietta") è presente in molte cucine italiane.

■ L'aceto balsamico è un prodotto antico, e in questa pubblicità il richiamo ai duchi di Modena è esplicito.

1. L'ACQUA

Indica le caratteristiche di questi tipi di acqua; se puoi, non usare le stesse parole del testo nella pagina a fronte:

a. liscia o naturale:

----

b. effervescente naturale:

----

c. frizzante

----

2. NEL TUO PAESE

Che tipo di acqua si usa più frequentemente nel tuo Paese? E l'olio? In Italia "olio" significa soprattutto "olio d'oliva". E nel tuo Paese? L'aceto si usa? Prendi qualche appunto e poi sii pronto a rispondere ad alta voce, se l'insegnante te lo chiede.

a. acqua:

----

b. olio:

----

c. aceto:

IL PANE/1

■ acqua ■ sale ■ farina ■ lievito di birra

A proposito della varietà nella cucina italiana, uno dei cibi in cui la differenza tra le zone d'Italia appare in maniera evidente è il pane, di cui hai un'idea nella foto qui a lato.

Ci sono tre forme fondamentali di pane, che trovi in tutta Italia:
a. la forma grande, tonda, originaria del Centro e del Sud, detta *pagnotta*: ha un diametro che va dai 25 ai 40 cm., viene tagliata a fette. Ora come in passato le pagnotte si possono conservare per alcuni giorni, perché sono grandi e quindi perdono poca umidità, non si seccano;
b. la forma allungata, il *filone*, che quando è di pan francese (oggi diffuso in tutta Italia) si chiama anche *baguette*: come la pagnotta, viene tagliato a fette e si conserva abbastanza a lungo; un filone schiacciato, croccante, è detto *ciabatta*;
c. le "pezzature" (cioè la divisione in pezzi) piccole, che spesso cambiano forma, sapore e nome da luogo a luogo: *michette, romanini, pagnottine, mantovane, ambrogini* ecc. È in questo tipo di pane che ci sono le principali differenze: in particolare ricordiamo la *coppia ferrarese*, una sorta di croce fatta di pane arrotolato, sottile, molto croccante, con molta crosta e poca mollica.

Il pane è fatto con:
- *acqua*: le sue caratteristiche, specialmente la presenza di calcio, cambiano il tipo di pane da zona a zona;
- *sale*: in Toscana il pane è "sciapo" (come dicono i toscani) o "insipido", come dicono gli altri italiani, cioè è fatto senza sale;
- *farina*: di solito è grano tenero, diverso da quello duro usato per fare la pasta; se la farina contiene ancora la crusca (cioè la buccia esterna del chicco di grano, di color beige), il pane è integrale;
- *lievito di birra*: batteri che con l'acqua e il calore si gonfiano, producono gas e danno morbidezza alla mollica.

Si possono poi aggiungere altri ingredienti, ad esempio l'olio, il latte, le olive, ecc.

Crosta e mollica: Il pane è composto di crosta, la parte esterna, più dura e scura, e di mollica, (con l'accento sulla "i") la parte bianca e morbida all'interno.

LA BRUSCHETTA

Che cosa serve

una pagnotta, olio extravergine di oliva, aglio, pomodori maturi, basilico o origano.

Come si prepara

Tagliare la pagnotta in fette dello spessore di un centimetro. Tostarle su una piastra o in forno. Quando sono dorate, strofinarvi l'aglio sbucciato, ricoprirle con pezzetti di pomodoro maturo e condire con un filo di olio di oliva e un pizzico di origano o basilico tritato.

Come si serve

Servire immediatamente prima che il pane si raffreddi.

Un filo: un po'.
Un pizzico: un po'.

IL PANE/2

Nell'Italia povera dei secoli scorsi il pane era l'alimento principale, era una ricchezza, e non lo si poteva buttare via. Ma il pane ha un problema: dopo qualche giorno diventa immangiabile perché perde l'umidità e si indurisce, allora lo si chiama *pane raffermo*.

Come utilizzarlo?

Ogni regione ha trovato la sua risposta, che di solito si basa su due principi:

- si può *tostare* il pane, cioè rimetterlo nel forno a fuoco medio e lasciarlo a seccare completamente: se è tagliato a cubetti si serve con le zuppe e le minestre; oppure lo si *grattugia*, cioè lo si riduce come sabbia, e lo si usa per coprire la carne o le verdure (che diventano *impanate*) prima di friggerle;

- si può *bagnare* il pane e usarlo insieme a fichi e altri tipi di frutta per fare delle torte, oppure insieme a salumi e verdure per fare piatti come la ribollita e i canederli, che trovi in queste pagine.

1. SPIEGA IL SIGNIFICATO

Con il tuo compagno cerca di spiegare il significato di questi tre verbi, come se stessi descrivendoli su un dizionario:

a. tostare:

_____
_____
_____

b. grattugiare:

_____
_____
_____

c. bagnare:

_____
_____
_____

d. cuocere:

_____
_____
_____

Adesso confronta la tua definizione con quella di altre coppie e poi con un dizionario.

I PLURALI IN "...-A"
Questa è una delle particolarità più strane dell'italiano. Ragioniamoci insieme.

Fai il plurale di queste parole maschili che finiscono in "...-o" al singolare

coltello _____ piatto _____

Quindi, il plurale delle parole maschili che finiscono in "...-o" è "...-i".

Nella ricetta tuttavia trovi il plurale di

Uovo _____

Questo avviene con altre parole, che hanno qualcosa in comune tra loro, e che fanno il plurale in "...-a" solo quando... Fai l'esercizio qui sotto e cerca di indovinare la regola.

2. SCOPRI LA REGOLA

Osserva questa serie di frasi e cerca di capire perché in alcuni casi queste parole hanno un doppio plurale:

I membri del Parlamento   I bracci di un lampadario
Le membra del corpo   Le braccia di un uomo

I cigli dei precipizi   I gridi dei gabbiani
Le ciglia di una donna   Le grida degli uomini

Ci sono altre coppie di questo tipo, **come urli/urla, orecchi/orecchie** (che è femminile, ma non in "...-a"), **ginocchi/ginocchia**, e così via.

LA RIBOLLITA

Che cosa serve

1 ciuffo di cavolo nero, 1/4 di cavolo verza, 1 mazzetto di bietola, 1 porro, 1 cipolla, 2 patate, 2 carote, 2 zucchine, 2 gambi di sedano, 300 g di fagioli cannellini secchi, 2 pomodori pelati, 2 spicchi di aglio, olio extra vergine di oliva, sale e pepe, 250 g di pane toscano raffermo.

Come si prepara

Mettere a bagno i fagioli in abbondante acqua tiepida per alcune ore, poi farli bollire in due litri di acqua. In un'altra pentola rosolare nell'olio di oliva la cipolla tagliata a fettine, poi aggiungere tutte le verdure tagliate grossolanamente e farle cuocere per circa 10 minuti. Aggiungere quindi l'acqua di cottura dei fagioli e metà dei fagioli. L'altra metà di fagioli si aggiunge dopo che si sono schiacciati nel passaverdura. Condire con sale e pepe e far cuocere a fuoco basso per circa due ore.

Come si serve

Quando la zuppa è pronta, tagliare il pane a fette sottilissime e versare nelle fondine a strati la zuppa e il pane. Condire con un filo d'olio extra vergine d'oliva e lasciar riposare per una decina di minuti prima di servire.

Rosolare: friggere lentamente finché non diventa dorata.
Grossolanamente: a pezzi grossi ed irregolari.
Passaverdura: attrezzo che schiaccia la polpa della verdura e la lascia filtrare, mentre trattiene le bucce e le parti più dure.

I CANEDERLI

Che cosa serve

300 g di pane raffermo, olio di oliva, 100 g di speck, 2 uova, 2 bicchieri di latte, 2 cucchiai di farina, una piccola cipolla, un cucchiaio di prezzemolo tritato, 2 l di brodo di carne.

Come si preparano

In una terrina piuttosto grande versare il pane tagliato a fettine molto sottili e bagnarlo con il latte bollente. Nel frattempo soffriggere in un cucchiaio di olio la cipolla affettata e lo speck tagliato a dadini. Versare sul pane la cipolla e lo speck, aggiungere, poco per volta, le due uova intere, il prezzemolo tritato e la farina. Mescolare accuratamente, poi con le mani formare delle piccole palle (dette, sulle Alpi, canederli), infarinarle leggermente e metterle a cuocere nel brodo bollente. Quando vengono a galla i canederli sono cotti.

Come si servono

Servire i canederli nel brodo caldo con una spolverata di formaggio parmigiano grattugiato.

ANTIPASTO DI SALUMI

Abbiamo già insistito sul fatto che la principale caratteristica della cucina italiana è la sua varietà regionale. Abbiamo visto le differenze nell'olio, nell'aceto, nel pane – ma le forme del salume sono forse ancor più differenziate, regione per regione!

Il salume è la risposta alla necessità di conservare la carne (non solo di maiale) il più a lungo possibile quando non c'era il frigorifero. La conservazione era imperfetta e il sapore diventava sgradevole, quindi veniva coperto con spezie orientali, soprattutto il pepe. Per secoli l'importazione delle spezie per tutta l'Europa è stata una delle maggiore forme di commercio ed ha fatto la ricchezza di Venezia. Dopo la scoperta dell'America, oltre alle spezie orientali si è imposto il peperoncino piccante, soprattutto al Sud, che era dominato dagli spagnoli (cfr. p. 10).

I salumi sono diversi a seconda di:

a. *forma*: la principale differenza sta nel fatto che la carne sia *macinata*, cioè ridotta in piccoli pezzetti, oppure *intera*; i salumi macinati (salame, mortadella, cotechino, salsiccia, ecc.) sono di solito cilindrici, gli altri hanno la forma della coscia (prosciutto, speck) o del filetto (bresaola);

b. *conservazione*: gran parte dei salumi, come si capisce dalla parola stessa, sono conservati con il sale, che non lascia crescere i batteri; in alcuni casi i batteri sono uccisi con la cottura (prosciutto cotto, mortadella) o "avvelenandoli" con il fumo, nei salumi *affumicati* come lo speck, tipico delle Alpi e delle popolazioni celtiche (vedi p. 10);

c. *animale*: di solito il salume è fatto con il maiale, l'animale più facile da allevare, mentre non ci sono salumi di pecora o capra perché l'odore della carne è troppo forte; alcuni salumi uniscono carne *suina* (maiale) e *bovina* (di vitello, manzo, mucca); infine, la bresaola è fatta con carne bovina oppure con il filetto del cavallo.

■ In questa foto vedi in primo piano una mortadella, tipica di Bologna – ma osserva meglio lo sfondo: vedi quale quantità di salumi trovi in una... salumeria? Non hai che il problema della scelta!

LA POLENTA

Che cosa serve

1,5 l di acqua, 500 g di farina gialla o bianca di mais, sale.

Come si prepara

Far bollire l'acqua con il sale. Versare a pioggia la farina e poi, con un mestolo di legno, continuare a mescolare affinché non si formino dei grumi. La polenta sarà pronta dopo circa 30-40 minuti quando si staccherà facilmente dalle pareti.
Si deve ottenere una crema liscia e omogenea.

Come si serve

La polenta si può servire morbida, appena fatta, oppure lasciata a raffreddare, tagliata a fette e abbrustolita sulla piastra.

A pioggia: lasciando cadere lentamente, come una pioggia.
Grumi: palline, blocchetti di farina non sciolta nell'acqua.
Abbrustolita: cotta sulla piastra in modo che faccia la crosta croccante.

I PLURALI MASCHILI IN "...-A"

A pagina 21 hai visto gli strani comportamenti di alcune parole, che sono maschili ma al plurale diventano femminili.
Ciò avviene in alcuni casi, quando le parole si riferiscono a esseri umani. Se invece si riferiscono ad animali o oggetti, sono regolari, con il plurale in "...-i".
Altre parole si comportano in questo modo, ad esempio

uovo .... uova
dito .... dita
miglio .... miglia
centinaio .... centinaia
muro .... muri, se si parla di una casa,
.... mura, se si tratta di una città antica.

ANTIPASTO DI PESCE

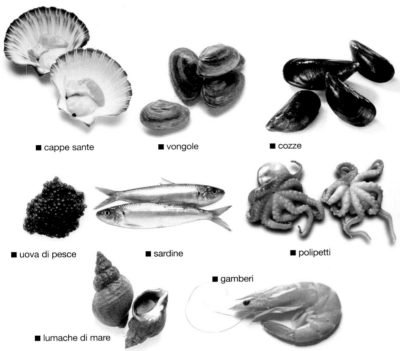

- ■ cappe sante
- ■ vongole
- ■ cozze
- ■ uova di pesce
- ■ sardine
- ■ polipetti
- ■ gamberi
- ■ lumache di mare

Lo scopo dell'antipasto è far crescere l'appetito… ma in molte occasioni si finisce per mangiare solo gli antipasti, come succede anche nella tradizione del Mediterraneo, dalla Sicilia alla Grecia, dalla Turchia al Medio Oriente.

Le componenti di un antipasto di pesce tradizionale sono:

a. *crostacei*, cioè animaletti il cui guscio durante la cottura tende a diventar rosa: gamberi, cicale di mare, granchi ecc.;

b. *molluschi*, cioè animaletti con il guscio rigido, composto di due metà che si aprono un po' durante la cottura (vongole, cozze, ecc.); in alcuni casi i molluschi vengono mangiati crudi, come ad esempio le ostriche, oppure vengono aperti e cotti in cucina e si serve solo uno dei gusci (ad esempio le "cappe sante", che vedi sopra);

c. *pesciolini*, come le alici o acciughe e le sardine: possono essere *marinate*, cioè pulite e lasciate crude nel succo di limone per un giorno, oppure *in carpione*, cioè insaporite con cipolla, come nella ricetta che trovi in questa pagina; i pesciolini possono anche essere serviti fritti;

d. *polipetti*, serviti come insalata di polipi (bolliti, tagliati a pezzetti e conditi con sedano e prezzemolo);

e. *lumache di mare*, che vengono estratte dal guscio con uno stuzzicadenti o uno speciale cucchiaino stretto e incurvato;

f. *uova di pesce*, soprattutto di caviale o salmone.

Questi antipasti possono essere serviti con del pane oppure, nell'alto Adriatico, con la polenta (vedi pag. 23); vanno di solito accompagnati da vino bianco fresco. Siccome sono piatti molto saporiti e quindi si mangia molto pane e si beve vino, spesso si passa direttamente dall'antipasto all'insalata e al dolce, senza prendere primi o secondi!

SARDINE IN CARPIONE (O "SAOR")

Che cosa serve

600 g di sarde fresche, 600 g di cipolla bianca, 1 dl (un decilitro, "dl", è la decima parte di un litro, quindi 100 g) di aceto di vino, 100 g di pinoli, 100 g di uva sultanina, farina bianca, sale e pepe, olio per friggere.

Come si preparano

Togliere la testa, le interiora e le squame alle sarde, lavarle e asciugarle. Pelare le cipolle e tagliarle a fette sottili. Mettere ad ammorbidire l'uvetta sultanina in acqua tiepida. Friggere le cipolle a fuoco lento fino a che appassiscano. Quando sono quasi cotte aggiungere l'aceto e il sale. Dopo qualche minuto, lasciar raffreddare ed aggiungere l'uvetta e i pinoli. Infarinare e friggere le sarde. Metterle ad asciugare su carta assorbente e salarle. Quando saranno fredde disporle in una terrina alternando uno strato di sarde ad uno strato di cipolle con il loro fondo di cottura.

Come si serve

Le sarde in carpione si mangiano dopo almeno due giorni dalla preparazione, con polenta fresca o abbrustolita (cfr. p. 23).

Uva sultanina: detta anche 'uvetta', è uva dai chicchi piccoli lasciati seccare al sole, in modo che perdano l'acqua.
Interiora: intestino, polmoni, ecc. Si usa solo al plurale, che è irregolare e termina in …a.
Squame: piccoli dischetti duri e lucenti che coprono la pelle dei pesci.
Appassiscano: diventino morbide, perdano la loro durezza iniziale.

LA CUCINA NELLA LETTERATURA

L'ANTIPASTO DI MONTALBANO

Il commissario Montalbano è uno dei personaggi più famosi della letteratura contemporanea italiana – ed è anche uno dei più golosi!

Eccoti una pagina da *Il ladro di merendine* (Sellerio, 1996), dove Andrea Camilleri ci fa gustare, insieme al suo eroe, un meraviglioso antipasto. La lingua è un'invenzione di Camilleri, metà italiana e metà siciliana. In alcuni casi trovi le note, per il resto... si capisce intuitivamente!

Se vuoi, vai in internet sul sito del "Camilleri Fan Club" e troverai un'intera sezione dedicata alla cucina nei suoi romanzi.

■ Nicola Zingaretti, l'attore che impersona il Commissario Montalbano nella serie televisiva tratta dai romanzi di Andrea Camilleri.

"ECCO L'ANTIPASTO".

Montalbano gli fu grato, ancora qualche altra notizia e gli sarebbe passato il pitìtto. Poi arrivarono gli otto pezzi di nasello, porzione chiaramente per quattro pirsùne. Gridavano, i pezzi di nasello, la loro gioia per essere stati cucinati come Dio comanda. A nasata, il piatto faceva sentire la sua perfezione, ottenuta con la giusta quantità di pangrattato, col delicato equilibrio tra acciuga e uovo battuto. Portò alla bocca il primo boccone, non l'ingoiò subito. Lasciò che il gusto si diffondesse dolcemente e uniformemente su lingua e palato, che lingua e palato si rendessero pienamente conto del dono che veniva loro offerto. Ingoiò il boccone e davanti al tavolo si materializzò Mimì Augello.

"Assèttati". Mimì Augello s'assittò.

"Mangerei anch'io" disse.

"Fai quello che vuoi. Ma non parlare, te lo dico come un fratello e nel tuo stesso interesse, non parlare per nessuna ragione al mondo. Se m'interrompi mentre sto mangiando questo nasello, sono capace di scannarti".

"Mi porti spaghetti alle vongole" fece, per niente scantato, Mimì a Calogero che stava passando.

"In bianco o col sugo?"

"In bianco".

In attesa, Augello s'impadronì del giornale del commissario e si mise a leggere. Gli spaghetti arrivarono quando per fortuna Montalbano aveva finito il nasello, perché Mimì cosparse abbondantemente il suo piatto di parmigiano. Gesù! Persino una jena ch'è una jena e si nutre di carogne avrebbe dato di stomaco all'idea di un piatto di pasta alle vongole col parmigiano sopra!

Gli fu grato: lo ringraziò mentalmente (stava ascoltando il telegiornale e questo lo deprimeva)
Pitìtto: appetito
Nasello: nome di un pesce
Pirsùne: persone
A nasata: con il suo profumo

Assèttati: siediti
Scannarti: ucciderti
Scantato: impaurito
Jena: una specie di cane africano che mangia animali morti (carogne)
Dare di stomaco: vomitare

TORTE SALATE E FRITTATE

Spesso, soprattutto se si tratta di un pranzo all'aperto, in giardino, l'antipasto si mangia in piedi e accanto ai salumi, vengono servite torte salate e frittate, che vengono tagliate a spicchi e mangiate con le mani, servendosi di una salviettina di carta per non ungersi.

La torta salata è una… torta, con la base di pasta sfoglia o brisé e il ripieno di verdura, formaggi e, in alcuni casi, anche un po' di prosciutto cotto o pancetta; la copertura può essere completa oppure fatta con striscioline di pasta, che lasciano vedere il ripieno.

Uno dei grandi vantaggi delle torte salate è che puoi matterci dentro una grande varietà di ingredienti e dare spazio alla tua fantasia!

Spicchi: fette triangolari che si ottengono tagliando una torta o una frittata rotonda.
Salviettina: piccolo tovagliolo, di solito di carta.
Ungersi: sporcarsi di grasso.

TORTA SALATA AGLI ASPARAGI

Che cosa serve

2 dischi di pasta sfoglia o brisé fresca (oppure surgelata), 1 mazzo di asparagi, 2 uova, 200 g di ricotta, 2 cucchiai di parmigiano grattugiato, sale e pepe.

Come si prepara

Stendere un disco di pasta in uno stampo da crostata o da pizza. Tagliare gli asparagi a pezzetti (tranne quelli usati per la decorazione) e cuocerli per un quarto d'ora a fuoco lento in una padella con poco olio e cipolla, poi unirli alle uova battute con 1 cucchiaino di sale, un pizzico di pepe, il formaggio grattugiato e la ricotta. Versare questo amalgama sul fondo di pasta. Stendervi sopra l'altro disco di pasta e premere bene sui bordi per sigillare assieme i due strati di pasta sfoglia. Cuocere la torta nel forno già caldo a 180° per circa 25/30 minuti o finché la superficie sarà dorata.

Come si serve

Si serve calda o a temperatura ambiente.

Amalgama: insieme fluido, pastoso, con tutti gli ingredienti. Vedi nota composto nelle ricetta della frittata.
Disco: la pasta fatta in casa con il matterello (cfr. p.38) ha la forma rotonda, come un grande disco; anche quella conservata e surgelata viene di solito venduta in forma circolare.
Stampo: contenitore che dà la sua forma (circolare, di solito) ad una torta.

La frittata è uno dei cibi più antichi e poveri del mondo, e consente una varietà enorme di sapori. Il principio della frittata è semplice: si rompono delle uova, si mescolano con il frustino (che vedi nella foto), e poi si aggiungono pezzetti di... tutto, dalle ortiche alla salsiccia, dai gamberetti agli spinaci.

Qui sotto scoprirai come fare una frittata con gli spinaci, ma con lo stesso principio puoi fare tutte le frittate che ti vengono in mente...

FRITTATA:
Uova e frittata sono spesso presenti in espressioni che indicano un guaio, un errore:

- "Carlo è il solito che rompe le uova nel paniere": il paniere è un cesto per il pane, che può essere usato per portare uova; romperle lì, significa buttarle via...
- "Ha raccontato tutto e così ha fatto la frittata": qualcuno racconta un segreto e, come se rompesse le uova, fa vedere a tutti quel che c'è dentro, commettendo così una gaffe.

FRITTATA

Che cosa serve

6 uova, 300 g spinaci bolliti e strizzati, 2 cucchiai di grana, 2 cucchiai di pane grattugiato, mezzo bicchiere di latte freddo, sale e pepe, 50 g olio.

Come si prepara

Rompere le uova in una ciotola, salarle e sbatterle leggermente. Aggiungere il latte, il parmigiano e il pane grattugiato, mescolando vigorosamente (cioè con vigore, con energia). Infine aggiungere gli spinaci e versare il composto in una padella dopo aver scaldato l'olio. Iniziare a cuocere a fuoco medio, voltando la frittata almeno un paio di volte. La cottura richiede 10-15 minuti.

Come si serve

La frittata si serve tiepida o fredda tagliata a spicchi o a cubetti.

Composto: l'insieme degli ingredienti di un piatto;
vedi amalgama nella ricetta della torta salata.

ESERCIZI DI RIEPILOGO

1. OLIO E ACETO

a. Nella ricetta della bruschetta hai visto che per dire "un po' d'olio" si può dire _____

b. Nella ricetta dello spritz hai visto che per dire "un po' di aperol" si può dire _____

2. I SALUMI

I salumi si differenziano per tre caratteristiche:

a. forma: -   se la carne è macinata il salume ha di solito forma _____

       -   se la carne è intera la forma _____

b. modo di conservazione:

      -   la maggior parte è conservata con _____

      -   la cottura conserva salumi come ad esempio _____

      -   tipica del nord è la conservazione con _____

c. animale da cui viene la carne:

      -   di solito il salume è fatto con _____, perché è un animale

      _____

      -   non ci sono salumi di _____ perché l'odore della loro carne

      _____

      -   la bresaola è fatta con carne _____

Nel tuo Paese si usa il maiale? Se sì, come lo si conserva?

Se provieni da un Paese dove non si alleva il maiale, la cui carne è spesso attaccata da parassiti che portano malattie, di' ai tuoi compagni di corso quali tipi di carne vengono conservati, e come.

3. TORTE SALATE E FRITTATE

La torta salata e la frittata sono due cibi elementari, diffusi in tutto il mondo.

Come sono fatti, nel tuo Paese? Prendi qualche appunto qui sotto e stai pronto a dare la risposta se l'insegnante te lo chiede.

_____

_____

_____

_____

_____

_____

_____

I PRIMI

Antipasti, carne, pesce, verdure sono comuni in tutto il mondo – ma la pasta no. La pasta è italiana.

Così come è italiano il principio del *primo*, cioè un piatto a base di cereali. Poi ci può essere anche un secondo, quello che nella maggior parte delle cucine del mondo occidentale è il piatto forte, a base di carne o pesce. Ma in Italia la base del pasto è il *primo*, e sono sempre più diffusi dei ristorantei fast food dove non trovi hamburger ma un *primo* di riso o pasta. Il principio base dei *primi* è semplice:

a. una base di cereali – farina di grano, oppure riso o patate; nella foto qui sotto vedi le tagliatelle, che sono fatte anche con le uova;

b. un condimento che insaporisce la pasta o il riso: salse, ragù, ecc.; nella foto qui sotto vedi un condimento di sugo di pomodoro, la cui ricetta è illustrata a pagina 34.

Una variante nei primi piatti è data dalle minestre e dalle zuppe, cioè primi piatti liquidi, nei quali vengono cotte piccole quantità di pasta (tagliatelle, tortellini), riso, oppure verdure.

I PRIMI

■ Gli spaghetti sono il simbolo della pasta italiana – ma non dimenticare che forse è più diffusa la "pasta corta", come i fusilli nella pagina a fronte.

■ La preparazione degli spaghetti in un'illustrazione medievale abruzzese

Gli antichi romani usavano la farina di cereali, ma ne facevano pane, focacce, "pizze" di vario tipo, cioè la impastavano con acqua e cuocevano al forno.

È con l'arrivo degli arabi nel Sud, circa mille anni fa, che si diffondono sia il riso sia, soprattutto, la pasta: farina di grano impastata con l'acqua e poi fatta seccare, in modo da poterla conservare per mesi.

UN REGALO DEGLI ARABI

Intorno all'anno Mille, in Sicilia si diffondono due tipi di pasta, la *itriya*, pasta lunga come gli spaghetti, e la *fidawash*, più corta.

Per secoli la pasta viene fatta in casa, come vedi in questa miniatura del medievale *Tacuinum sanitatis* dove una donna impasta (tre quarti di farina e un quarto d'acqua) e un'altra donna stende gli spaghetti ad asciugare, perché per la conservazione l'acqua deve scendere dal 25% al 10% - ma non troppo in fretta, altrimenti la pasta crepa, e non troppo lentamente, altrimenti marcisce…

È a Napoli che avviene la rivoluzione, nel Settecento: inizia la prima produzione di pasta fatta a macchina, quindi su scala industriale, e la pasta si diffonde in tutto il Sud, poi in Toscana e infine, nell'Ottocento, al Nord.

DURA, TENERA, AL DENTE, ALL'UOVO

Tradizionalmente in ogni regione si faceva la pasta con la farina locale, per cui la pasta del Nord, fatta di grano tenero, tendeva a *scuocere*, cioè a diventare troppo morbida, soprattutto la pasta all'uovo, che ha uova al posto dell'acqua.

Da una cinquantina d'anni tuttavia il gusto è cambiato, e ormai la pasta va fatta come nella tradizione del Sud, usando farina di grano duro che resiste bene alla cottura: quindi la pasta rimane *al dente*, cioè abbastanza solida.

LE MILLE FORME DELLA PASTA

Nella pagina precedente e in questa trovi i tre formati principali: a pag. 29 le *tagliatelle*, pasta di solito all'uovo; qui sopra gli *spaghetti*, diffusi in tutto il mondo; nella pagina a fronte delle *penne rigate*, cioè con la superficie irregolare.

La pasta corta ha mille forme: ci sono anche le *penne lisce*, un po' più grandi delle penne e con il taglio verticale, non diagonale, sono i *maccheroni* (ma ci sono anche i *maccheroncini*, cioè *maccheroni piccoli*); un'altra famiglia importante è quella dei fusilli, in cui la forma della vite è perfetta per riempirsi di ragù o di sugo; infine, sono molto diffuse le *farfalle*. Nel Sud, sono molto popolari le *orecchiette*, dei piccoli dischi di pasta con una piccola concavità al centro.

Ma queste sono solo grandi categorie: ne trovi infinite variazioni in ogni regione o provincia, e spesso ciascuna di queste è legata ad un sugo particolare.

UN DIMINUTIVO

Per creare il diminutivo di *maccheroni* serve aggiungere una –c– ottenendo *maccheroncini*.
Questa regola si applica a tutte le parole che finiscono in –on/e:
- camion → camioncino
- peperone → peperoncino
- furgone → _____
- calzoni → _____
- marrone → _____

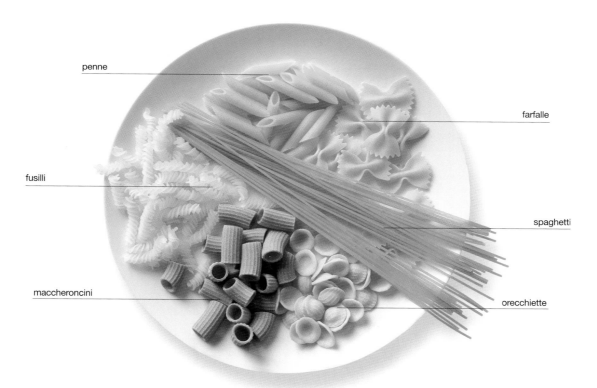

penne

farfalle

fusilli

spaghetti

maccheroncini

orecchiette

Rosolare: cuocere con olio, fin quando l'aglio diventa dorato.
Spadellare: passare un paio di minuti in padella, con un po' di olio,
per completare la cottura.
Generosa spolverata: una abbondante spruzzata di formaggio.

COME SI CUOCE LA PASTA

La pentola deve essere molto capace, cioè grande, perché serve molta acqua. Quando bolle, aggiungere sale grosso. Quanto? Per una pentola media ne servono un paio di cucchiai, ma per gli italiani di solito l'unità di misura è "un pugnetto di sale".

Esiste una possibilità di scelta:

a. cuocere soltanto la pasta: è la forma più diffusa;

b. cuocere la pasta insieme ad una verdura: ad esempio, se prepari pasta al cavolfiore.
Fai bollire le cimette, cioè i "fiori" bianchi del cavolfiore, insieme alla pasta, che quindi assorbe l'acqua già insaporita. In una padella fai rosolare aglio e peperoncino in mezzo bicchiere di olio extravergine di oliva. Dopo aver scolato la pasta insieme al cavolo, la spadelli per qualche minuto e poi la servi ben calda con una generosa spolverata di formaggio pecorino grattugiato.

QUANTA "PASTA" NEI MODI DI DIRE!

La parola *pasta* compare in molti modi di dire. Eccone alcuni: unisci ogni espressione al significato corretto tra quelli indicati a destra.

È una pasta d'uomo	È una persona dai gusti poco raffinati.
È uno che ha le mani in pasta	È una persona dolce, buona.
Deve dimostrare di che pasta è fatto	È uno che conosce bene le cose, sa come funzionano
È uno di pasta grossa	È una persona di cui non si conosce il carattere.
È uno che fa sempre pastette	È una persona che tende a fare cose poco chiare, a imbrogliare.

I SUGHI E I RAGÙ/1

■ Su moltissimi sughi, soprattutto di origine settentrionale, si grattugia il parmigiano, un formaggio duro e saporito – molto buono da mangiare anche come dessert, magari con una goccia di aceto balsamico...

■ Nella foto, lo stabilimento di Salerno della Cirio, una famosa ditta italiana di conservazione dei pomodori

■ Peperoncini che si asciugano al sole appesi sul muro di una casa del Sud d'Italia

La pasta bollita e basta è immangiabile: bisogna

a. *ungerla*, per poterla deglutire (far passare dalla bocca alla gola e allo stomaco) facilmente: ogni condimento, ogni sugo, ogni ragù ha quindi una base di olio, di burro o di un altro grasso animale;

b. *condirla*, cioè insaporirla un po', perché altrimenti tutte le paste avrebbero lo stesso sapore: e qui si scatena la fantasia, infatti i condimenti si possono fare praticamente con tutto.

La combinazione più semplice ed elementare di questi due principi si ha nella *pasta all'olio, aglio e peperoncino*, che trovi nella ricetta alla pagina di fronte.

I SUGHI

La parola *sugo* in realtà ha due significati:

a. da un lato significa "condimento", cioè qualcosa che si aggiunge per insaporire; ci sono quindi il sugo di pomodori, il sugo di carne, ecc.;

b. dall'altro indica la grande varietà di condimenti prevalentemente basati sulle verdure; in questo senso si oppone ai "sughi di carne", che vengono chiamati *ragù*.

Nelle pagine seguenti troverai come preparare il più classico dei sughi, quello di pomodoro, ma anche un sugo freddo e un sugo particolare, quello per le orecchiette pugliesi.

I RAGÙ

Sono dei *sughi* che hanno una grande quantità di carne, che può essere macinata, come nel ragù classico emiliano, di cui trovi la ricetta nelle pagine che seguono, oppure carne di selvaggina, cioè di animali selvatici, non allevati, come il cervo, la lepre, ecc.

I ragù cuociono per ore, hanno spesso molti grassi animali – sono buonissimi ma se dovete mettervi un po' a dieta la prima cosa che il medico ordina è: "eliminare la pasta col ragù!"...

■ Qualche foglia di basilico sta bene in quasi tutti i sughi. Il basilico va messo a fine cottura.

1. PERCHÉ?

Indica la causa di queste affermazioni
(puoi sostituire *per* con *perché*):

a. per mangiare la pasta bisogna ungerla,
aggiungere olio
o qualcosa di oleoso, per

----

b. non basta aggiungere olio, bisogna che ci sia
anche qualcos'altro per

----

c. "lei ha il fegato appesantito, deve eliminare i sughi
e i ragù perché

SPAGHETTI AGLIO, OLIO E PEPERONCINO

Che cosa serve

100 g di spaghetti per persona; olio e sale qb; 2 spicchi d'aglio;
1 peperoncino.

Come si preparano

Mettere a scaldare abbondante acqua salata. Nel frattempo in una padella
piuttosto grande, mettere l'aglio, eliminando la pellicina bianca, un po'
d'olio e del peperoncino e lasciare soffriggere piano piano. Quando l'acqua
bolle aggiungere il sale grosso e poi buttare la pasta. Scolarla al dente,
versarla nella padella con l'olio caldo e farla saltare per qualche minuto.

Come si servono

Gli spaghetti si servono ben caldi con una generosa spolverata
di formaggio pecorino grattugiato.

Qb: abbreviazione di "quanto basta", cioè la dose di sale necessaria a seconda della
quantità d'acqua.
Soffriggere: friggere lentamente in poco olio fin quanto la verdura diventa color oro.
Buttare: versare la pasta nell'acqua bollente.
Saltare: cuocere in padella con un po' d'olio per un paio di minuti

I SUGHI E I RAGÙ/2

RAGÙ EMILIANO

Che cosa serve

600 g di carne macinata; volendo, si può aggiungere un pezzetto di salsiccia; 2 barattoli di pomodori pelati, 1 gambo di sedano, 1 carota, 1 cipolla non troppo grande, 2 spicchi di aglio, 1/2 bicchiere di olio extravergine di oliva e 1/2 di latte, sale e pepe, alcune foglie di alloro

Come si prepara

Mettere a scaldare dell'olio in una padella e soffriggere il sedano, la carota e la cipolla tagliate a pezzetti piccoli; aggiungere un paio di spicchi di aglio già pelati e schiacciati. Fare soffriggere a fuoco non troppo forte (la verdura non deve bruciare) e aggiungere la carne, mescolandola al soffritto di verdura per 2-3 minuti, fin quando comincia a cuocere. Condire con sale e pepe, aggiungere il latte e mescolare ancora un minuto o due, poi aggiungere i pomodori e le foglie d'alloro.

Lasciar cuocere il ragù all'inizio a fuoco vivace (cioè abbastanza forte) e poi a fuoco molto lento per un paio d'ore facendo attenzione che non attacchi. Il ragù è pronto quando è evaporata tutta l'acqua dei pomodori; se si asciugano troppo presto, aggiungere un po' d'acqua.

Come si serve

Servire la pasta calda condita con il ragù e con una cucchiaiata di formaggio parmigiano grattugiato.

SUGO DI POMODORO

Che cosa serve

2 barattoli di pomodori pelati, 2 spicchi di aglio, 1/2 bicchiere di olio extravergine di oliva, sale e pepe, alcune foglie di basilico.

Come si prepara

Mettere a scaldare dell'olio in una padella e aggiungere un paio di spicchi di aglio già pelati e schiacciati. Fare soffriggere a fuoco non troppo forte (l'aglio non deve bruciare) e aggiungere i filetti di pomodoro. Salare, dare una leggera mescolata con un cucchiaio di legno, e lasciar cuocere il sugo a fuoco vivace facendo attenzione che non attacchi.

Il sugo è pronto quando è evaporata tutta la sua acqua di cottura.

Spegnere il fuoco e aggiungere cinque o sei foglie di basilico pulite e spezzettate grossolanamente con le mani.
Una volta pronta e scolata la pasta, ripassarla in padella - con il sugo di pomodoro - per circa un minuto a fuoco vivace prima di servirla.

Come si serve

Servire la pasta calda con una cucchiaiata di formaggio parmigiano grattugiato.

Spezzettate grossolanamente: rotte con le mani senza curare che tutti i pezzetti siano uguali.
Ripassarla: tenerla un paio di minuti in padella con un po' d'olio, mescolando lentamente.

LA CUCINA NELLA LETTERATURA

PELLEGRINO ARTUSI

"LA SCIENZA IN CUCINA E L'ARTE DI MANGIAR BENE"

Nato nel 1820 in Romagna, Pellegrino Artusi è un classico della cucina italiana.

Eccoti la pagina in cui spiega come fare il sugo alla bolognese. Naturalmente la lingua è ottocentesca, quindi un po' complessa: ma vedrai che ce la fai!

Le seguenti proporzioni sono approssimative per condire grammi 500 e più di minestra:

Carne magra di vitella (meglio se nel filetto), gr. 150.
Carnesecca, grammi 50.
Burro, grammi 40.
Un quarto di una cipolla comune.
Una mezza carota.
Due costole di sedano bianco lunghe un palmo, oppure l'odore del sedano verde.
Un pizzico di farina, ma scarso assai.
Un pentolino di brodo.
Sale pochissimo o punto, a motivo della carnesecca e del brodo che sono saporiti.
Pepe e, a chi piace, l'odore della noce moscata.

Tagliate la carne a piccoli dadi, tritate fine colla lunetta la carnesecca, la cipolla e gli odori, poi mettete al fuoco ogni cosa insieme, compreso il burro, e quando la carne avrà preso colore aggiungete il pizzico della farina, bagnando col brodo fino a cottura intera.
Scolate bene i maccheroni dall'acqua e conditeli col parmigiano e con questo intingolo, il quale si può rendere anche più grato o con dei pezzetti di funghi secchi o con qualche fettina di tartufi, o con un fegatino cotto fra la carne e tagliato a pezzetti; unite, infine, quando è fatto l'intingolo, se volete renderli anche più delicati, mezzo bicchiere di panna; in ogni modo è bene che i maccheroni vengano in tavola non asciutti arrabbiati, ma diguazzanti in un poco di sugo.

Minestra: Artusi usa "minestra (asciutta)" per indicare quella che noi chiamiamo "pasta (asciutta)".
Carnesecca: carne che veniva salata e seccata
Costole: gambi
Odore: molto poco, che dia solo un po' di odore
Scarso assai: molto poco
Punto: per niente

Colla lunetta: con la mezzaluna (una lama un po' curva con due piccoli manici di legno ai due estremi)
Col: con il
Intingolo: sugo per condire pasta o carne
Grato: gradevole, saporito
Asciutti arrabbiati: molto asciutti
Diguazzanti: molto umidi

PASTA ASCIUTTA

PASTA FREDDA

Che cosa serve

400 g di pasta corta, 1/2 kg di pomodorini maturi e sodi (cioè abbastanza duri, non molli), 200 g di mozzarelline, 50 g di olive nere di Gaeta, qualche foglia di basilico fresco, olio extravergine di oliva, sale e pepe

Come si prepara

Mettere a scaldare l'acqua per la pasta e quando bolle, versare il sale grosso e poi la pasta. Mentre la pasta si cuoce versare in una terrina capace, cioè abbastanza grande, i pomodorini e le mozzarelline tagliati a metà o in quarti, le olive disossate (cioè senza il seme), il basilico tagliato grossolanamente, condire con una dose abbondante di olio e aggiustare di sale e pepe. Quando la pasta è cotta, scolarla e passarla sotto l'acqua fredda per raffreddarla, versarla poi nella terrina e mescolare accuratamente.

Come si serve

Questa pasta è ottima in estate quando fa caldo. Si può servire anche per una cena in piedi o quando si va a fare un picnic.

Aggiustare di sale e pepe: mettere il sale e il pepe che mancano per raggiungere il sapore desiderato.

■ terrina

Nella pagina precedente abbiamo presentato il modo in cui Pellegrino Artusi, l'autore del più famoso libro italiano di cucina, ancora oggi presente nelle librerie di tutti gli appassionati di cucina, spiega come si fa il ragù alla bolognese.

Cosa dice il grande Artusi sulla cottura della pasta (che hai visto a pag. 31)? Leggiamo insieme.

"Trattandosi di paste asciutte, qui viene a proposito una osservazione, e cioè che queste minestre è bene cuocerle poco; ma badiamo, *modus in rebus*.

Se le paste si sentono durettine, riescono più grate al gusto e si digeriscono meglio. Sembra questo un paradosso, ma pure è così, perché la minestra troppo cotta, masticandosi poco, scende compatta a pesar sullo stomaco e vi fa palla, mentre se ha bisogno di essere triturata la masticazione produce saliva e questa contiene un fermento detto ptialina che serve a convertire l'amido o la fecola in zucchero ed in destrina.

L'azione fisiologica della saliva è poi importantissima giacché oltre all'effetto di ammollire e di sciogliere i cibi, facilitandone l'inghiottimento, promuove per la sua natura alcalina la secrezione del succo gastrico allorché i cibi scendono nello stomaco. Per questa ragione le bambinaie usano a fin di bene un atto schifoso come quello di fare
i bocconi e masticare la pappa ai bambini.

Si dice che i Napoletani, gran mangiatori di paste asciutte, vi bevano sopra un bicchier d'acqua per digerirle meglio. Io non so se l'acqua, in questo caso, agisca come dissolvente o piuttosto sia utile perché, prendendo il posto di un bicchier di vino o di altro alimento, faccia, naturalmente, rimaner lo stomaco più leggero".

Modus in rebus: modo di dire latino, *est modus in rebus,* cioè un modo giusto e attento di fare le cose.
Si sentono: una volta che sono in bocca vengono sentite.
Grate: gradite, piacevoli.
Paradosso: una cosa strana.
Vi fa palla: si trasforma in una palla, in un blocco.
Masticazione: l'atto di masticare, di tritare con i denti.
Amido, fecola: carboidrati presenti nella farina.
Destrina: un tipo di zucchero.
Ammollire: rendere teneri.
Alcalina: la caratteristica chimica opposta all'acidità.
Secrezione del succo gastrico: produzione dei succhi dello stomaco, che digeriscono i cibi.
Dissolvente: liquido che serve per sciogliere.

TAGLIATELLE AL SUGO DI FUNGHI PORCINI

Che cosa serve (per 4 persone)

250 g tagliatelle all'uovo, 400 g di funghi porcini freschi, uno spicchio di aglio, prezzemolo, olio extravergine di oliva, sale e pepe, parmigiano grattugiato.

Come si preparano

Pulire con un panno umido i porcini e tagliarli a fette sottili, buttando via i pezzi troppo duri.

In una padella scaldare qualche cucchiaiata di olio e uno spicchio di aglio sbucciato. Quando l'aglio è dorato toglierlo e aggiungere i funghi porcini. Mescolare e lasciar cuocere per una decina di minuti se possibile senza aggiungere acqua. Quando i funghi sono cotti aggiungere il sale, il pepe e una cucchiaiata di prezzemolo tritato.

Nel frattempo mettere a bollire l'acqua per la pasta, quando bolle aggiungere il sale grosso e cuocere la pasta. Scolarla al dente e versarla nella padella dei funghi. Spadellare per alcuni minuti e servire.

Come si servono

Servire le tagliatelle ben calde cospargendole generosamente di parmigiano grattugiato.

Funghi porcini: sono funghi con il cappello marrone e grosso.
Panno: stoffa (un tovagliolo, un asciugapiatti).
Sbucciato: al quale è stata tolta la buccia, cioè la pelle un po' secca e dura.
Spadellare: passare in padella con un po' di olio.

ORECCHIETTE ALLE CIME DI RAPA

Che cosa serve

400 g di orecchiette fresche, 600 g di cime di rapa, 3 o 4 acciughe sotto olio, 4 cucchiai d'olio extravergine d'oliva, 2 spicchi d'aglio, 1 peperoncino piccante.

Come si preparano

Mondare le cime di rapa e lavarle in acqua corrente. Mettere sul fuoco una pentola con l'acqua e non appena raggiunge l'ebollizione, salarla e buttarvi le cime di rapa tagliate a pezzetti. Dopo cinque minuti, versare nella pentola anche le orecchiette e terminare la cottura.

Intanto, scaldare l'olio in una padella ampia e rosolare lo spicchio d'aglio tagliato a fettine e il peperoncino. Quando l'aglio è imbiondito, aggiungere le acciughe.

Quando la pasta e le verdure sono cotte ma ancora un po' al dente, scolarle, versarle nella padella con il soffritto e farle saltare per qualche minuto nel condimento prima di servirle ben calde.

Come si servono

Si servono con un'eventuale aggiunta di olio piccante e, volendo, con una cucchiaiata di pecorino.

Mondare: è un verbo un po' specialistico per "pulire la verdura".
Acqua corrente: l'acqua che scende dal rubinetto, in modo che porti via la sporcizia.
Imbiondito: cotto al punto di diventare biondo, dorato.

LA PASTA ALL'UOVO/1

■ Le tagliatelle vengono spesso conservate per qualche tempo. Per essiccarle, si raccolgono in "nidi" come questi, che si sciolgono appena buttati in acqua bollente.

■ Nella pagina a fianco la Imperia, di cui abbiamo parlato nel testo. Nota quanti tipi di tagliatelle si possono fare!

■ farina

Farina, sale, uova: sono questi gli ingredienti tradizionali della pasta all'uovo che, a differenza della pasta normale che è prodotta solo industrialmente, viene spesso fatta in casa o nei ristoranti di buona qualità.

Tradizionalmente la pasta all'uovo si fa su un tavolo di legno dove, dopo aver impastato a lungo farina, uova e sale, si stende l'impasto trasformandolo da una "palla" a una "sfoglia", uno strato sottile quasi come una pagina di giornale; per fare questa operazione si usa un *mattarello*, cioè un'asta di legno che lentamente, passaggio dopo passaggio, tira la pasta.

■ uova

Fare la sfoglia con il mattarello è faticoso, e da cinquant'anni nelle famiglie italiane è presente una macchinetta mitica, la Imperia, che qui di fronte vedi nella versione moderna, con motorino elettrico, ma che altrimenti ha una manovella che fa girare i due rulli d'acciaio.

Nelle foto di queste due pagine puoi vedere tre cose interessanti, oltre ai due ingredienti principali, uova e farina:

- la pasta all'uovo fatta in casa può non solo avere diverse forme, cioè essere più o meno larga come vedi vicino all'*Imperia*, ma consente anche di aggiungere alla farina altri ingredienti: la pasta verde ha di solito un po' di spinaci, quella rossa ha delle rape (radici rotonde di color rosso intenso), quella scura ha un po' di nero di seppia (l'inchiostro di questi animali marini della famiglia dei polipi);

■ Qui accanto vedi, insieme a dei tortellini che imparerai a cucinare a p. 41, un tagliere ed un mattarello. Sono entrambi abbastanza piccoli; per fare la sfoglia, cioè la pasta all'uovo tirata sottile senza usare la macchina Imperia, che vedi nella pagina a fronte, si usa di solito un tagliere più largo. Anche il mattarello che vedi qui è corto: ce ne sono alcuni che sono lunghi più di un metro! Tagliere e mattarello sono di legno non verniciato e vengono continuamente ricoperti di farina per evitare che la pasta si attacchi.

- qui sotto, la pasta fresca è appoggiata su una specie di cesto: serve per lasciar respirare la pasta, che si asciughi lentamente; se la appoggi sul marmo, sulla plastica o su una superficie liscia si attacca alla base e quando la stacchi rischi di romperla facilmente.

- nella pagina a fronte vedi un *nido* di tagliatelle: dopo che si sono un po' asciugate, le tagliatelle sono state avvolte, senza schiacciarle, e in tal modo sono poi state fatte seccare: così possono essere conservate anche per alcuni giorni senza problemi.

LA PASTA ALL'UOVO

Nelle due pagine precedenti abbiamo visto la pasta all'uovo usata in maniera semplice, cioè tagliata in strisce più o meno larghe, che verranno poi cotte nel brodo di carne (hai la ricetta in questa pagina), oppure bollite in acqua e poi condite con ragù.

Qui vedi invece il re della cucina emiliana, presente in varie forme in tutto il Nord e anche in altre parti d'Italia: la pasta all'uovo riempita di un ripieno, che può essere

a. a base di carne, come nei tortellini bolognesi che vedi in queste pagine;
b. a base di ricotta e verdure, soprattutto spinaci;
c. con altri ingredienti, ad esempio la zucca (spesso accompagnata da biscotti alle mandorle, gli amaretti, o da noci spezzettate), il pesce, le castagne, ecc.
   In questi casi di solito i tortellini (o tortellacci, ravioli, agnolotti: il principio è lo stesso cambia solo la forma e le dimensioni) sono di solito conditi con burro fuso e, spesso, qualche foglia di salvia.

Concentriamo la nostra attenzione sul più classico di questi piatti: i tortellini in brodo. Vediamo anzitutto come si fa un brodo di carne, e poi come si preparano i tortellini.

COME SI FA UN TORTELLINO

Oggi quasi tutti i tortellini vengono fatti a macchina, ma soprattutto in Emilia la tradizione di farli a mano è ancora forte – anche se bisogna essere bravi! Il problema non è tanto fare i tortellini, quanto fare una pasta molto sottile, essere poi molto veloci nel tagliarla in quadratini, nel mettere il pezzetto di ripieno, e poi nel farli: bisogna lavorare in fretta, prima che la sfoglia si asciughi, perché altrimenti non si chiudono bene e poi si aprono durante la cottura.

La fase 4, come hai visto, non ha alcuno scopo pratico: il tortellino era fatto dopo i primi tre passaggi… ma la cucina italiana si basa sul principio, spesso ripetuto, che "anche l'occhio vuole la sua parte"; i cibi devono esser buoni, sani, ma anche belli, ed in particolare in questo caso devono avere la forma che ci viene da una tradizione secolare.

1 Bisogna tagliare la sfoglia in quadratini, di circa 5 cm. per lato. Su ogni quadratino si mette una piccola pallina di ripieno. Attenzione: se la pallina è troppo piccola, il tortellino ha poco sapore; se è troppo grande, non si riesce a chiudere bene il tortellino.

2 Si piega il quadratino di sfoglia in modo da formare un triangolo, che ha dentro di sé il ripieno: è importante schiacciare bene i bordi della sfoglia in modo che si attacchino, altrimenti si aprono quando sono nel brodo bollente.

3 Si tirano le due punte del triangolo verso la parte posteriore del tortellino, dietro il mucchietto del ripieno, avvolgendole intorno a un dito in modo che restino separate dal corpo del tortellino; poi si stringe forte per attaccare le due puntine.

4 Il tortellino è quasi perfetto… ma manca un tocco: con un colpetto del dito, si spinge in su la puntina, in modo che si alzi. Sembra un cappello degli alpini (i soldati che combattevano sulle Alpi) – ed in effetti in Emilia i tortellini si chiamano "cappelletti"!

BRODO

Che cosa serve

500 g di carne di manzo (da brodo), 500 g di lingua di manzo, 1/2 gallina, 1 carota, 1 cipolla, una canna di sedano, 2 chiodi di garofano, 1 spicchio di aglio

Come si prepara

In una pentola alta e capace mettere tutti e tre i tipi di carne e le verdure intere, sbucciate e lavate. Coprire di acqua fredda e mettere a bollire. Quando comincia a bollire si formerà una schiuma marroncina che si deve togliere con la schiumarola.

Lasciare bollire per due ore, fino a che la carne non sia morbida. Soltanto verso la fine aggiungere la giusta dose di sale grosso.

A quel punto mettere da parte la carne, passare il brodo al colino e buttare le verdure. Se si ha tempo è bene lasciar raffreddare il brodo in modo da poterlo sgrassare: infatti il grasso formerà una pellicola sulla superficie e sarà facile eliminarlo.

Come si serve

La carne si mangia ben calda tagliata a fette accompagnata da una salsa verde, oppure una salsa al cren o senape.

Il brodo si può utilizzare per delle minestre o risotti.

Canna: un gambo.
Schiumarola: una specie di paletta con dei fori: la schiuma rimane su, il brodo scende nella pentola.
Passare al colino: il colino è una specie di scolapasta con fori sottili.

TORTELLINI IN BRODO

Che cosa serve

2 l di brodo di carne, 300 g di tortellini (si calcolano normalmente 20 tortellini a persona).

I tortellini si possono riempire in vari modi; a seconda delle zone la ricetta tradizionale cambia. Qui proponiamo la ricetta di una vecchia signora emiliana:

150 g di carne di pollo, oppure vitello o maiale macinata, 50 g di mortadella macinata, una noce di burro, aglio e rosmarino, 75 g di parmigiano grattugiato, 1 uovo, un cucchiaio di pane grattugiato, noce moscata

Come si prepara il ripieno

In una piccola padella scaldare il burro con lo spicchio d'aglio e il rosmarino e quando sono dorati toglierli e buttarli. Aggiungere la carne e la mortadella macinate e farle soffriggere per alcuni minuti mescolando.

Quando la carne è cotta lasciarla a raffreddare e poi aggiungere un uovo intero, l'odore della noce moscata, il parmigiano e il pane grattugiato. Mescolare bene, regolare di sale e... il ripieno è pronto per degli ottimi tortellini!

Come si cuociono i tortellini

Fai bollire il brodo e immergici i tortellini fino a che sono cotti (il tempo varia a seconda dello spessore della pasta).

Come si servono

I tortellini in brodo si devono servire ben caldi con una spolverata di parmigiano grattugiato.

I PASTICCI

Partiamo sempre dalla foto della macchina *Imperia* che hai trovato a pag. 39. Come vedi, dalla parte alta della macchina esce una striscia larga. Adesso osserva la foto qui sopra e ti sarà facile indovinare come è fatto un *pasticcio* (che in italiano significa anche "confusione", "cosa fatta male"): tante strisce di pasta, una sull'altra, divise da besciamella e condite con ragù (come nella foto), oppure con pesto, con verdure, ecc.

Vediamo quindi come si fa la besciamella e poi come si fa un pasticcio.

CHE PASTICCIO!

Pasticcio in italiano significa "confusione", una cosa che è stata fatta male, mettendo insieme le cose a caso, con un pessimo risultato. Osserva queste espressioni:
- Hai fatto proprio un gran pasticcio!
- Sei un gran pasticcione!
Pasticcio significa anche "guaio", "problema", "situazione poco chiara". I genitori dicono spesso ai figli:
- "se non stai attento, finirai nei pasticci!"
ed uno dei capolavori della letteratura italiana del novecento è un romanzo di Emilio Gadda con il titolo in romanesco, la lingua degli abitanti di Roma:
Quer pasticciaccio brutto de Via Merulana.

LA BESCIAMELLA

Che cosa serve

50 g di burro, 50 g di farina, 1/2 litro di latte, sale, pepe, noce moscata.

Come si prepara

Mettere a fondere il burro in un tegame. Fare sciogliere a fuoco lento, togliere dal fuoco e aggiungere 50 grammi di farina setacciata.

Mescolare con un cucchiaio di legno per stemperare tutti i grumi, rimettere sul fuoco e fare cuocere finché non prende un colore leggermente marroncino.

Aggiungere quindi il latte "a filo", facendolo cioè cadere in modo lentissimo nel tegame, e proseguire la cottura continuando a mescolare fino a raggiungere la consistenza desiderata.

Togliere quindi dal fuoco e aggiungere sale, pepe e noce moscata.

Volendo ottenere una salsa un po' più densa è sufficiente aumentare la quantità di farina. Volendo, invece, ottenerla più fluida, si deve aumentare la quantità di latte.

Fondere: scaldare fino a quando si scioglie.
A fuoco lento: tenendo basso il livello del fuoco.
Stemperare i grumi: sciogliere, far sparire le "palline" di farina non mescolata bene al burro.
Consistenza: durezza dell'impasto.

PASTICCIO DI LASAGNE

Che cosa serve

1 litro di besciamella, 300 g di pasta fresca verde (con l'aggiunta di spinaci) e gialla, cioè normale, per lasagne (12 sfoglie circa), 500 g di ragù, 100 g di parmigiano grattugiato.

Come si prepara

In un tegame basso e largo mettere a bollire dell'acqua leggermente salata con un cucchiaio di olio. Quando bolle immergere la pasta, poca alla volta, sgocciolarla con un mestolo forato, passarla in acqua fredda e farla asciugare su un telo. Imburrare una pirofila e stendere uno strato di pasta, coprirla con un velo di besciamella, 5 - 6 cucchiai di ragù e una manciata abbondante di parmigiano.

Continuare a disporre gli strati, fino a esaurire gli ingredienti, terminando con la besciamella e il ragù.

Mettere in forno a 180° per circa 40 minuti.

Come si serve

Tagliare il pasticcio in quadrati e servirlo caldo.

Sfoglia: uno striscia di pasta all'uovo fatta a mano, come quella che esce dalla macchina a p. 39.
Immergere: mettere per breve tempo dentro l'acqua bollente.
Pirofila: tegame di vetro resistente al calore.
Velo: leggero strato.
Manciata: letteralmente, la quantità che ci sta in una mano; in cucina significa una quantità abbondante, ma non eccessiva.

2. CHE COSA USI PER CUCINARE?

Qui sotto vedi vari contenitori usati in cucina per preparare sughi, ragù, brodo, pasticcio, pasta, ecc.

Le descrizioni non sono però messe nel posto giusto: collega con una linea ogni descrizione alla foto corrispondente.

■ Una pirofila è un contenitore, di vetro trasparente o opaco, che può essere messo in forno o sul fuoco senza che si rompa. Di solito le pirofile hanno bordi bassi e si usano per cuocere al forno i pasticci.

■ La padella è usata per preparare il soffritto, o comunque per cuocere qualcosa nell'olio; proprio per evitare di scottarsi ha di solito un manico abbastanza lungo.

■ La casseruola ha i bordi più alti di una padella e serve per cuocere le cose a lungo, spesso a fuoco lento. Le casseruole perfette per sughi e ragù sono quelle di "coccio", cioè di terracotta vetrificata, cioè ricoperta con uno strato sottilissimo di vetro. Cuociono perfettamente... ma se cadono si rompono!

■ La pentola è alta, si riempie d'acqua e serve per bollire la pasta o per fare il brodo. Proprio perché contiene molto liquido e quindi pesa molto, la pentola ha due manici; se sono troppo caldi, puoi prenderli in mano usando dei riquadri di stoffa, che si chiamano "presine".

■ Lo scolapasta serve, come si capisce dal nome, per scolare la pasta – ma anche altre cose che vanno scolate, cioè separate dall'acqua di lavaggio o di cottura. Lo scolapasta ha due manici che permettono di muoverlo, di agitarlo, in modo che l'acqua scorra via facilmente.

IL RISO

I primi possono utilizzare anche altri cereali, oltre al grano: tra questi il più diffuso è il riso, la cui provenienza è orientale e che si è diffuso in Italia solo attraverso gli arabi, circa mille anni fa.

I primi a base di riso si chiamano risotti: il riso viene bollito in pochissima acqua o brodo, insieme ai condimenti – zucca o funghi, come nelle due foto nella pagina di fronte, ma anche carne, verdure varie, pesci, molluschi, ecc.

Il risotto è raffinatissimo ed è anche molto delicato; il brodo di cottura va aggiunto piano piano, in modo che il riso lo assorba lentamente – è necessario mescolare continuamente, altrimenti è facile che il riso si attacchi al fondo del tegame; inoltre, bisogna stare ben attenti che il riso non sia scotto, cioè troppo cotto, un po' sfatto, quasi una colla: il risotto deve "essere al dente", cioè ogni chicco di riso deve essere staccato dagli altri.

Di solito il risotto viene cotto in una casseruola o una "cocotte" come quella a sinistra: è un recipiente di ghisa o di terracotta che assorbe bene il calore ma poi lo diffonde in maniera uniforme, in modo che il riso non si attacchi sul fondo; oggi si usa anche fare il risotto in pentola a pressione: dopo aver iniziato la cottura, si aggiunge tutto il brodo necessario e si lascia cuocere per 6 o 7 di minuti, ed eventualmente si conclude come in una pentola normale, dopo aver tolto il coperchio.

RISOTTO DI FUNGHI

Che cosa serve (per 4 persone)

4 "pugni" (la quantità che sta in una mano) di riso a persona (400 g circa), 300 g funghi freschi o 50 g di funghi secchi,
1 spicchio d'aglio, 1 cipolla piccola, 1/2 bicchiere di vino bianco secco, 1 litro di brodo, parmigiano grattugiato, 2 "noci", cioè due cucchiaini, di burro

Come si prepara

Se usi funghi secchi mettili a bagno per almeno mezz'ora in acqua tiepida. Taglia a fettine sottili la cipolla e mettila a cuocere con l'aglio in una tegame a bordi bassi con un cucchiaio d'olio e una noce di burro. Quando sarà dorata versa i funghi e lasciali insaporire qualche minuto. Unisci il riso e mescolalo un minuto, quindi versa in una sola volta tutto il vino e lascialo evaporare bene. Scola l'acqua dai funghi secchi e bagna con questa il riso mescolando.
Ora aggiungi un mestolo di brodo caldo alla volta aspettando che sia stato assorbito prima di versarne uno nuovo e, sempre mescolando, lascia cuocere il riso per circa 20 minuti.

Quando è cotto, aggiungi una noce di burro e il parmigiano. Mescola bene in modo da amalgamarlo e lascialo mantecare per un minuto.

Come si serve

Il risotto si serve caldo e va mangiato subito altrimenti i chicchi di riso diventano troppo morbidi e si allungano.

Mantecare: lasciare che il burro si sciolga e amalgami bene il riso.

RISOTTO DI ZUCCA

Che cosa serve (per 4 persone)

300 g di zucca gialla tagliata a cubetti, 1 cipolla tritata, 320 g di riso, 1 bicchiere di vino bianco secco, 1 litro e 1/2 di brodo caldo, parmigiano, olio, burro, sale e pepe q. b., cioè "quanto basta"

Come si prepara

In una pentola capiente stufare la zucca con olio, burro, un cucchiaio di acqua e la cipolla. Aggiungere il riso, e poi il vino bianco e continuare la cottura con il brodo caldo, come per il risotto di funghi. Lasciare "all'onda" e mantecare con una noce di burro e parmigiano.

Come si serve

Il risotto si serve caldo e va mangiato subito altrimenti i chicchi di riso diventano troppo morbidi e si allungano.

Stufare: cuocere lentamente con pochissima acqua.
All'onda: modo di dire che significa, "morbido", che faccia le onde.

■ zucca

ZUPPE E MINESTRE/1

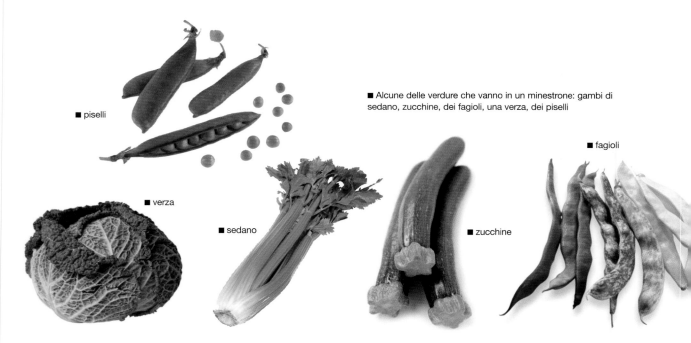

■ piselli

■ Alcune delle verdure che vanno in un minestrone: gambi di sedano, zucchine, dei fagioli, una verza, dei piselli

■ fagioli

■ verza

■ sedano

■ zucchine

I primi piatti più diffusi sono la pasta e i risotti – ma soprattutto quando fa freddo, o quando si vuole stare un po' leggeri, una zuppa, una minestra o un minestrone sono una buona alternativa.

Che differenza c'è tra di loro? In realtà la differenza è minima:

a. *minestra* è un piatto di pasta o riso cotti nell'acqua o nel brodo, spesso con verdure;

b. *zuppa* è una minestra cotta nell'acqua e quasi sempre solo con verdura (ma c'è la zuppa di pesce…);

c. *minestrone* è una zuppa di verdure, senza pasta o riso.

"Mangiare 'sta minestra o saltare 'sta finestra" significa che non ci sono alternative, si può fare solo quel che viene ordinato;

"È una minestra riscaldata" significa che è una cosa già vista, già sentita e che viene riproposta con poche variazioni.

"È la solita zuppa" significa che è una cosa già vista, già sentita e che viene riproposta con poche variazioni;

"Se non è zuppa è pan bagnato" significa che sono due alternative molto simili, praticamente la stessa cosa solo con il nome diverso.

"Non puoi fare un minestrone di tutto" significa che non si possono mettere insieme idee, iniziative, ecc., a caso, senza una logica.

In realtà il mondo delle zuppe e delle minestre è molto più vario di quel che può sembrare dalle poche parole che abbiamo per descriverlo, come vedremo in queste pagine, dove inizieremo dalla più semplice di tutte le ricette, quella del minestrone, per giungere alla più complessa delle zuppe, quella di pesce.

Nelle pagine precedenti hai visto primi piatti "ricchi", cioè con carne, uova, ecc.: in realtà nella tradizione italiana i primi di quel tipo erano rari, si mangiavano la domenica e qualche altro giorno, ma i poveri – quasi tutta la popolazione! – mangiavano soprattutto zuppe e minestre, che si facevano con le verdure dell'orto e che permettevano di riutilizzare anche il pane vecchio, tostandolo a cubetti e mettendolo nei minestroni.

MINESTRONE DI VERDURE

Che cosa serve

1 mazzo di erbette, 6 zucchine, 6 carote, 2 cipolle, 3 gambi di sedano, 1/2 kg di fagiolini, 100 g di piselli, surgelati o freschi, 2 porri, 100 g di fagioli, surgelati o freschi, 6 foglie di verza, 2 pomodori sbucciati, un ciuffo di prezzemolo, 20 foglie di basilico, 6 cucchiai di olio di oliva, sale e pepe q.b., parmigiano

Come si prepara

Pulite e lavate bene tutte le verdure e, dopo averle tagliate a tocchetti, mettetele in una pentola che possa contenerle tutte. Versateci sopra dell'acqua fredda, date una bella mescolata e fate cuocere a fuoco basso mescolando di tanto in tanto. Dopo circa un'ora, salate, pepate, aggiungete olio e basilico e lasciate cuocere per un altro quarto d'ora.

Come si serve

Il minestrone è ottimo sia caldo, con una spolveratina di grana, sia freddo.

Tocchetti: un modo colloquiale per dire "pezzetti".
Salate, pepate: mettete del sale e del pepe.
Spolveratina: un spruzzata, un po'.

I NOMI ALTERATI
Osserva questa ricetta:
a. nel titolo hai una "grande minestra", un _____.
b. nelle indicazioni sul modo di servire, ti si propone una "piccola spolverata", cioè una _____ di grana.
Si tratta di due forme "alterate", cioè in cui il significato viene "alterato", cambiato: nel primo caso il nome di partenza viene reso grande, grosso, fatto crescere: è un "accrescitivo"; nel secondo caso invece viene reso piccolo, viene diminuito: è un "diminutivo".
Negli esercizi che seguono lavorerai su accrescitivi e diminutivi… ma soprattutto sui rischi che corri con questo tipo di nomi.

1. ATTENZIONE AGLI "ALTERATI"
Certamente ricordi come si fanno gli alterati:
gatto → *gattone*   gatto → *gattino*
ma non sempre le cose funzionano bene:
a. una zucca è un frutto grande e giallo (vedi p. 45), ma nelle foto a p. 46 vedi che uno _____ che non è una piccola zucca.
b. tra gli ingredienti ci sono le _____, che non sono "piccole erbe" ma erbe odorose;
c. anche il "_____" descritto nella ricetta non è una grande minestra, ma una minestra di verdure;
d. il burro è importante in cucina, ma il _____ non è un "grande burro", ma un precipizio in montagna;
e. nelle foto vedi dei fagioli, ma i _____ non sono piccoli fagioli, sono una verdura simile ai piselli, solo più piccoli, che si mangiano bolliti con il "baccello", il contenitore verde cui sono attaccati;
f. il "viso" è la faccia, ma il _____ non è un grande viso, bensì un animale da pelliccia;
g. una "botte" è il contenitore di legno in cui si invecchia il vino, ma il _____ è solo il piccolo oggetto che serve per abbottonare una camicia o una giacca;
h. certo sai che una montagna si chiama anche "monte", ma un _____ non è un grande monte, bensì il maschio della pecora, molto usato nella cucina araba;
i. tra i dolci ne trovi uno a base di mandorle, zucchero e miele, il _____, che non è certo una grande torre;
j. se devi mordere qualcosa di duro usi dei denti, molto più sviluppati negli animali che negli uomini: sono i _____, che non sono dei piccoli cani.

■ Spesso una zuppa viene servita con un po' di pane tostato e inumidito di olio

■ Cipollotti

■ Il rosmarino è usato in molte zuppe

PAPPA COL POMODORO

Che cosa serve

500 g. di pomodori maturi, 2 spicchi d'aglio, peperoncino, basilico, 1 litro di brodo di carne, olio extra vergine di oliva, 300 g. di pane casalingo raffermo

Come si prepara

Rosolare l'aglio ed il peperoncino nell'olio e quando sarà imbiondito togliere l'aglio, aggiungere i pomodori passati ed il basilico e farli cuocere per qualche minuto, aggiungere il pane tagliato a fettine sottili, mescolare bene e quando il pane avrà assorbito la salsa di pomodoro aggiungere il brodo bollente regolando il sale e il pepe. Far bollire per circa 15 minuti aggiungendo altro brodo se occorre. Lasciare riposare per circa un'ora, quindi mescolare bene per disfare completamente il pane.

Come si serve

Servitela calda ma non bollente con un filo d'olio extra vergine d'oliva toscano ed un ciuffetto di basilico.

Imbiondito: fritto fin quando non diventa "biondo", giallo.
Regolando: Mettendo sale e pepe in modo da regolare il sapore, da raggiungere il livello di sale e pepe ottimale.
Ciuffetto: le foglioline della parte alta del rametto di basilico, quelle in questa foto.

"SAGNE" E CECI

Che cosa serve

200 g di ceci secchi, un bicchiere di olio di oliva, 2 spicchi di aglio, una cipolla, un rametto di rosmarino (vedi il rosmarino nella foto, insieme a due cipollotti), 100 g di lardo di prosciutto, prezzemolo, una "costa" (cioè un gambo) di sedano, sale q.b., 400 g di "sagne", tagliatelle fatte in casa soltanto con acqua e farina, tipiche dell'Italia centrale.

Come si preparano

Pulite i ceci, lavateli e metteteli a bagno per dodici ore in abbondante acqua con un pizzico di sale ed uno di bicarbonato.

Sciacquateli e fateli cuocere a fuoco moderato in una "pignatta" di terracotta coperti d'acqua bollente. Aggiungete il rosmarino e qualche mestolo di acqua bollente se quella di cottura dovesse asciugarsi troppo.

Intanto preparate il condimento

In un tegamino fate rosolare dolcemente il lardo insieme alla cipolla affettata a velo, agli spicchi d'aglio ed al prezzemolo tritato. Quando è pronto, versate questo soffritto sui ceci e fateli insaporire per alcuni minuti.

Lessate al dente, in abbondante acqua salata, le "sagne" quindi scolatele, versatele nella pignatta in cui bollono i ceci e lasciatele riposare in modo che assorbano bene tutti i sapori.

Come si servono

Servite ben caldo con un goccio d'olio extravergine di oliva e un pizzico di pepe nero appena macinato e a piacere pane tostata e pomodori tagliati a cubetti.

Sciacquare: lavare con acqua corrente.
Pignatta: parola tradizionale per dire "pentola"; spesso riferita a pentole tradizionali come quelle di terracotta, dette anche "di coccio".
A velo: a fette sottili come un velo.

QUADRATINI IN BRODO

Che cosa serve

6 uova intere, 180 g di farina, 150 g parmigiano, 150 g di burro, sale, noce moscata.

Come si preparano

In una terrina mescolare la farina con le uova, aggiungere poi il burro fuso tiepido e il parmigiano, il sale e un pizzico di noce moscata grattugiata. Ne deve risultare una crema densa e liscia, senza grumi.

Versare la crema su di un telo bianco leggero, bagnato e strizzato, chiuderlo con uno spago come fosse un sacchetto, tenendo conto che, cuocendo, aumenterà di volume. Immergere il sacchetto in brodo di carne o brodo vegetale bollente e lasciar bollire per circa due ore.

La crema diventerà una palla compatta ma morbida.

Come si servono

Togliere la pasta dalla tela, lasciarla intiepidire, tagliarla prima a fette e poi a quadratini.

Servire qualche cucchiaiata di quadratini insieme al brodo bollente.

Grumi: parti non ben sciolte, che risultano come palline più dure e secche del resto dell'impasto.

■ pepe

■ emmental

■ basilico

■ burro

PASTA E FAGIOLI

Che cosa serve

300 g di fagioli secchi, 200 g di pasta di grano duro, 1 cipolla,
2 carote, 2 coste di sedano, un rametto di rosmarino, come quello
nella foto della pagina precedente, 2 patate, olio extravergine
di oliva, sale, pepe nero.

Come si prepara

Mettete a bagno i fagioli in acqua tiepida con un pizzico di
bicarbonato per alcune ore. Al momento di cuocere mettete i
fagioli scolati in un capace tegame, insieme alla cipolla, le carote,
le patate pelate e tagliate "a tocchetti", cioè a pezzetti, il sedano e
il rosmarino e coprite con acqua.
Mettete il tegame sul fuoco e fate cuocere per due ore circa.
Quando i fagioli saranno molto teneri, col mestolo forato
raccoglietene poco meno della metà, e passateli al setaccio.
Versate la purea ottenuta nel tegame e quando riprende a bollire,
salate e versate la pasta.
Condite con una dose generosa di olio extravergine di oliva
e una abbondante presa di pepe nero.

Come si serve

Servite la pasta e fagioli tiepida in ciotole da zuppa.

Capace: grande, che contiene molto.
Una presa di pepe: un pizzico di pepe.
Ciotole: piatti molto fondi, senza bordo; assomigliano a una scodella
meno alta e più ampia di quelle usate per il caffelatte a colazione.

Nelle ultime pagine hai trovato degli strani modi di indicare
la quantità di alcuni cibi; li ricordi?

a. una _____ di pepe (*in questa ricetta*)

b. un _____ di noce moscata
   (*Quadratini in brodo, p. 49*)

c. un _____ di basilico (*Pappa col pomodoro, p.48*)

d. una _____ di grana (*Minestrone, p. 47*)

e. un _____ di besciamella (*Pasticcio, p. 43*)

f. una _____ di burro (*Risotto di funghi, p. 44*)

g. un _____ d'olio (*Pappa col pomodoro, p.48*)

h. delle _____ di emmenthal
   (*Zuppa di astice, pagina a fronte*)

ZUPPA DI ASTICE

Che cosa serve

2 astici (circa 1 kg in tutto), 400 g di panna fresca, sedano e carota, cipolla e aglio, 80 g. di formaggio Emmenthal, 60 g. di parmigiano, 2 pomodori, sale e pepe, 50 g. dado di pesce, olio, crostini di pane

Come si prepara

Fare un soffritto a fuoco basso con olio, una costa di sedano, una grossa carota, mezza cipolla, il profumo dell'aglio e i pomodori, tutto tagliato a pezzetti.

Aggiungere gli astici, tagliati a metà rompendo le chele.
Far cuocere per una decina di minuti.

Unire la panna, il sale, il pepe e il dado sciolto in un mestolo d'acqua e farli cuocere a fuoco moderato per circa un quarto d'ora.

Togliere dall'intingolo gli astici, liberarli dai carapaci, pulire le chele, tagliare la polpa a pezzetti regolari.

Passare la zuppa al passaverdura e unirla alla polpa.
Se necessario regolare di sale e pepe.

Come si serve

Sul fondo dei piatti porre i crostini, il parmigiano grattugiato e l'emmenthal a scagliette, e versarvi la zuppa calda.

Intingolo: un insieme di cose in un sugo abbastanza liquido.
Carapace: la parte dura esterna di un crostaceo.
Chele: le due "zampe" anteriori, quelle grosse e piene.
Scagliette: pezzetti piccoli, sottili come le patatine fritte vendute in sacchetto.

1. FOGLIE, RAMI, ECC.

Per indicare che si deve mettere un po' di verdura, soprattutto se si tratta di erbe aromatiche, profumate, si usano espressioni particolari, che hai visto nelle pagine precedenti; tra parentesi ti indichiamo una ricetta dove puoi trovare la risposta:

a. uno _____ di aglio (Sagne e ceci)

b. un _____ di basilico (Pappa col pomodoro)

c. alcune _____ di basilico (Minestrone di verdure)

d. una _____ di rosmarino (Sagne e ceci)

e. una _____ di sedano (Sagne e ceci)

f. un _____ di sedano (Minestrone di verdure)

g. un _____ di noce moscata (Quadratini in brodo)

h. alcune _____ di verza (Minestrone di verdure)

i. un _____ di prezzemolo (Minestrone di verdure)

2. PER DARE UN'ISTRUZIONE

In queste ricette hai trovato varie forme verbali che si usano per dare istruzioni:

a. cominciamo con il minestrone di verdure:

_____ e _____ bene tutte le verdure

In questo caso è stato usato il

☐ modo imperativo, seconda persona singolare

☐ modo imperativo, seconda persona plurale

b. passiamo alla pappa col pomodoro:

_____ l'aglio

_____ i pomodori passati

In questo caso è stato usato il

☐ modo imperativo

☐ modo infinito

c. si sarebbe potuto usare anche il singolare nella forma che indica rispetto, formale:

rosoli l'aglio, metta i pomodori passati

oppure nella forma impersonale:

si faccia attenzione all'aglio, si mettano subito i pomodori

In questi casi è stato usato il

☐ modo imperativo

☐ modo infinito

☐ modo congiuntivo presente

d. in tutti i casi, per fare l'imperativo negativo, si usa

l'_____, come in questi esempi:

non mettere i pomodori

non aggiungere l'aglio

GNOCCHI DI PATATE

Concludiamo questa serie di primi piatti con quello peggiore per chi è in dieta: gli gnocchi di patate!

Le patate non sono tipiche della cucina italiana tradizionale, in quanto sono giunte in Italia portate dai soldati di Napoleone, negli ultimi anni del Settecento; ma si sono diffuse tra la popolazione solo alla metà dell'Ottocento.

Anche se oggi puoi trovare le patate dappertutto (fritte, arrostite, lessate), in Italia sono molto meno diffuse che in Europa settentrionale e in America.

Il piatto più "tradizionale" da fare con le patate sono gli gnocchi.

■ patate

■ farina

■ sale

Soprattutto al Nord ti può succedere di sentire (e anche di leggere in certi menù) *i* gnocchi anziché *gli* gnocchi: nei dialetti del Nord il suono iniziale *gn-* è preceduto dagli articoli *il, un, i*, ma in italiano corretto si usano *lo, uno* e *gli*.

GNOCCHI DI PATATE

Che cosa serve

1 kg di patate, 300 g di farina, sale

Come si preparano

Lessare le patate con la buccia; pelarle ancora calde e passarle con lo schiacciapatate, salarle e aggiungere la farina.
Impastare velocemente sulla spianatoia infarinata, in modo da ottenere un panetto morbido di forma allungata. È difficile dire se le proporzioni suggerite possono andare bene; tutto dipende dalla qualità della patata. Tagliare delle porzioni e, aiutandosi con le mani, allungarle sulla spianatoia ottenendo dei cilindri spessi un dito da cui si possono tagliare gli gnocchi di 2-3 cm.
Passare gli gnocchi velocemente sui rebbi di una forchetta in modo da sagomarli ulteriormente e disporli su vassoi infarinati in modo da non sovrapporli.
Portare a bollore abbondante acqua salata e versare gli gnocchi, pochi alla volta. I tempi di cottura sono velocissimi. Scolarli non appena risalgono in superficie.

Come si servono

Gli gnocchi si possono condire in moltissimi modi, con il ragù bolognese, con la salsa di pomodoro, con vari formaggi oppure semplicemente con burro fuso e salvia. Sempre comunque si devono servire con molto parmigiano grattugiato.

Spianatoia: superficie su cui si stende una pasta, un tagliere grande.
Rebbi: parola poco usata, ormai: sono i "denti" di una forchetta.
Sagomarli: dare una sagoma, un forma.

ESERCIZI DI RIEPILOGO

1. LA PASTA

Completa questo testo sulla pasta, la regina della cucina italiana.

Gli antichi _____ usavano la farina di cereali, ma ne facevano pane, focacce, "pizze" di vario

tipo. È con l'arrivo degli _____ nel Sud, circa mille anni fa, che si diffondono sia il _____

_____ sia, soprattutto, la _____.

Per secoli la pasta viene fatta in _____, ma nel _____ a Napoli

avviene la rivoluzione: inizia la prima produzione di pasta fatta a _____.

Tradizionalmente in ogni regione si faceva la pasta con la _____ locale; da una cinquantina

d'anni tuttavia il gusto è _____, e ormai la pasta va fatta usando farina di grano

_____ che resiste bene alla cottura: quindi la pasta rimane al _____, cioè

abbastanza solida.

2. I SUGHI E I RAGÙ

a. La pasta bollita e basta è immangiabile: bisogna

   - ungerla, per _____

_____

   - condirla, perché altrimenti _____

_____

b. La combinazione più semplice ed elementare di questi due principi si ha nella pasta all'

_____, _____ e _____,

che trovi nella ricetta a p. 33.

c. La parola "sugo" in realtà ha due significati:

   - da un lato significa "condimento", cioè _____

_____

   - dall'altro indica i condimenti basati sulle _____

d. I ragù sono dei sughi che hanno _____

3. LA PASTA ALL'UOVO

a. Gli ingredienti tradizionali della pasta all'uovo sono tre:

_____   _____   _____

b. mentre la pasta normale è prodotta solo industrialmente, quella all'uovo viene ancora prevalentemente fatta

_____, usando un _____, cioè un'asta

di legno, ma spesso si usa la _____ una macchina presente in quasi tutte le case.

c. la pasta tagliata a quadretti, riempita di carne e poi chiusa a forma di sacchetto o di anello dà i _____,

tipici di Bologna.

ESERCIZI DI RIEPILOGO

4. IL RISO

a. I primi a base di riso si chiamano _____ : il riso viene bollito in _____ acqua

o brodo, insieme ai _____ .

b. Il brodo di cottura è aggiunto _____ , in modo che il riso lo assorba; è necessario

_____ continuamente, altrimenti è facile che il riso si attacchi al fondo del _____ .

c. Se il riso è troppo cotto si dice che è _____ .

5. ZUPPE E MINESTRE

Questi primi sono di tre tipi:

a. minestra: _____

_____

b. zuppa _____

_____

c. minestrone _____

_____

6. MODI DI CUOCERE

Puoi definire questi modi di cuocere?

a. Bollire (*l'hai trovato in "Come si cuoce la pasta"*) _____

_____

b. Cuocere a fuoco lento (*l'hai trovato in "Besciamella"*) _____

_____

c. Cuocere a fuoco vivace (*l'hai trovato in "Ragù emiliano"*) _____

_____

d. Lessare (*l'hai trovato in "Gnocchi di patate"*) _____

_____

e. Rosolare (*l'hai trovato in "Come si cuoce la pasta"*) _____

_____

f. Soffriggere (*l'hai trovato in "Spaghetti, aglio e peperoncino"*) _____

_____

g. Spadellare (*l'hai trovato in "Come si cuoce la pasta"*) _____

_____

h. Stufare (*l'hai trovato in "Risotto di zucca"*) _____

_____

I SECONDI DI CARNE

La carne è stata per secoli riservata ai ricchi, i poveri avevano poca carne a disposizione, più che altro polli o conigli allevati nel cortile e qualche maiale. Se avevano delle mucche, queste servivano per il latte e per trainare l'aratro e i carri. Nel Centro e nel Sud Italia si allevavano le pecore, ma anche quelle servivano più per il latte e il formaggio che per la carne.

Quando si uccideva un animale grande – un vitello, un maiale – si cercava anzitutto di conservarne la maggior quantità possibile per i mesi successivi (con il sale i "salumi", con il fumo gli "affumicati") e si mangiava il resto in grandi feste con parenti e amici, di solito in occasione della festa del santo a cui era dedicata la chiesa del villaggio: in tal modo, a turno, ogni famiglia invitava gli amici e i parenti e veniva poi invitata da loro.

Dopo il "miracolo economico" degli anni Sessanta la carne è diventata disponibile per tutti conservando il suo valore di "pasto ricco", e solo negli ultimi dieci anni il suo consumo eccessivo sta riducendosi sia per ragioni mediche sia per il ritorno dei cibi "poveri" – verdure, pasta, uova.

Anche se non è paragonabile alla varietà della pasta e dei sughi, la cucina della carne ha una certa varietà, che però non la distingue moltissimo dalla cucina della carne nel Mediterraneo, da un lato, e in Europa, dall'altro.

MAIALE, AGNELLO, MANZO

L'Italia è un ponte tra l'Europa e il Mediterraneo: questo è vero sia dal punto di vista geografico sia per quanto riguarda il tipo di carne usata per la cucina: la carne "suina", cioè il maiale che è tipico dell'Europa, è da sempre usato in tutta Italia; ma nel Centro-Sud e nelle Isole si usa molto anche la carne "ovina" (soprattutto agnello e capretto) che è tipica del Mediterraneo; mentre al Centro-Nord ha forte diffusione la carne "bovina" (il vitello, il manzo).

■ Una sacerdotessa porta un vitello per un sacrificio ad Apollo

IL MAIALE

Pur non essendo considerato impuro come nel mondo ebraico e musulmano, anche nel mondo latino il maiale era escluso dai sacrifici agli dei. Ma nei secoli il maiale, diffuso in tutta Italia, ha continuato ad essere la ricchezza dei contadini: il maiale mangiava gli avanzi di cucina, gli scarti della produzione del formaggio (il "siero") mescolati con gli scarti della produzione della farina (la "crusca"): quindi non costava nulla e, in compenso, del maiale non si buttava via niente: il grasso ("lardo") veniva aromatizzato con erbe e mangiato con il pane caldo; le orecchie e le altre cartilagini si usavano, bollite, per fare un salume particolare (la "testa"); le budella, ripulite, diventavano i "contenitori" dei salami e delle salsicce; la pelle del porcellino, cotta sulle braci, era leccornia, e la pelle del prosciutto, con i tendini, ecc., veniva

■ Nel tempio preistorico di Tarxien, a Malta (isola culturalmente simile all'Italia) c'è questo fregio in cui vedi un ariete (il maschio della pecora), seguito da un maiale bello grasso e da alcune capre: questi erano gli animali anche dell'Italia del Sud.

messa in molte zuppe e nella pasta e fagioli (vedi pagina 50); perfino i peli (setole) venivano usati: servivano per fare spazzole e pennelli – e le ossa le mangiavano i cani!

Come abbiamo visto trattando dei salumi a pagina 22, la varietà d'uso della carne suina è enorme e rappresenta uno dei contributi dell'Italia alla cucina mondiale.

L'AGNELLO

Mentre in molti paesi mediterranei si usa in cucina anche l'ovino adulto (il montone, la pecora, la capra), la tradizione italiana usa soprattutto l'agnello e il capretto.

Così come nel mondo arabo ci sono feste in cui si uccide il montone, allo stesso modo in Italia durante il periodo pasquale, cioè all'inizio della primavera, quasi in ogni casa si mangia agnello o capretto, cioè i piccoli maschi, perché le femmine vengono fatte crescere per diventare pecore da latte e madri di altri agnelli. Sebbene gli ovini crescano nel Centro-Sud, l'agnello si è diffuso abbastanza anche al Nord.

Mentre il maiale era tenuto nel porcile e viveva quasi immobile, quindi diventava grassissimo, la pecora e le capre avevano bisogno di grandi spazi, quindi i pastori dovevano spostarsi verso le montagne durante l'estate per poter trovare erba: un esercizio fisico continuo che rendeva la pecora muscolosa e quindi dura da mangiare (per questo si usava più che altro brodo di pecora, non pecora arrosto).

■ Carpaccio di carne

■ Spesso gli spiedini uniscono vari tipi di carne.

IL MANZO

I bovini sono animali da latte e da lavoro, la mucca adulta, necessaria per la riproduzione e la produzione del latte, è meno usata in cucina rispetto al vitello, cioè il bovino molto giovane, al vitellone "adolescente" e soprattutto al manzo, cioè il giovane bue la cui carne non è più rosata come quella del vitello nutrito con il latte, ma diventa rossa e abbondante. Anche nel mondo bovino sono soprattutto i giovani maschi ad essere usati per la carne.

A parte un salume (la "bresaola", vedi pagina 22) la cucina della carne bovina non è diversa da quella della tradizione europea.

Da qualche tempo si è diffuso tuttavia il carpaccio, che vedi nella foto: si tratta di carne cruda, tagliata a fettine sottili come quelle del prosciutto, aromatizzate con limone o aceto balsamico, olio di prima qualità e scaglie di parmigiano; si possono usare anche salse a base di maionese.

Tipo	Giovani e adulti	Luoghi e custodi
Suino	*maiale:* addomesticato; in cucina si usa il giovane maschio castrato o una giovane femmina; *cinghiale:* suino selvatico, pericoloso; *lattónzolo:* maialino "da latte", giovanissimo, cotto si chiama porchetta; da vivo è un *porcellino.* La femmina che dà porcellini è la *scrofa,* e il maschio non castrato, violento come un toro, è il *verro.*	I maiali, detti con disprezzo "porci", stanno nel *porcile* e sono custoditi dal *porcaro.*
Ovino	*pecora/montone, capra/ariete:* sono gli adulti, rispettivamente femmine e maschi. In cucina il maschio non castrato non viene usato. *agnello, capretto:* sono i piccoli nutriti ancora con il latte materno.	Gli ovini stanno nell'*ovile* o vanno al *pascolo,* guidati dal *pastore.*
Bovino	*mucca, vacca:* è la femmina (la seconda forma è usata anche come insulto a una donna); *toro* e *bue:* sono i maschi; il secondo è castrato; *vitello (da latte)* e *vitellone:* cucciolo nutrito con il latte o tolto da poco alla madre; *manzo:* il giovane bovino maschio castrato.	I *bovini* stanno nella stalla curati dal *bovaro.*

CUOCERE LA CARNE

Nella foto vedi la più antica e semplice forma di cottura: è una bistecca alla fiorentina, cotta sulle braci, nella versione "al sangue", cioè poco cotta.

CI SONO MOLTI MODI DI CUOCERE LA CARNE:

A. CARNE ALLA BRACE, ALLA GRIGLIA, GRIGLIATA:

È la forma più antica di cottura della carne ed è anche la più elementare – ma non per questo la più facile! Una delle cose difficili è riuscire a soddisfare i gusti delle persone, che possono chiedere la carne *al sangue*, cioè molto rossa all'interno, a *cottura media* oppure *ben cotta*.

Un'altra cosa difficile è la scelta e la quantità di odori: quasi sempre ci vanno del rosmarino e del pepe, ma alcuni cuochi aggiungono altre erbe odorose; la foto che vedi qui sopra è un tipico esempio di bistecca alla fiorentina cotta al sangue.

B. CARNE ARROSTITA O "ARROSTO":

Ne hai un esempio nella foto che apre questo modulo, a p. 55. Si tratta di carne cotta al forno, spesso condita con molte erbe, accompagnata da un sugo prodotto dal grasso della carne stessa, più il vino che spesso viene aggiunto per mantenere umida la carne mentre si cuoce; a volte si cuociono anche delle piccole patate nel sugo insieme alla carne.

L'arrosto può essere servito a fette oppure, se si tratta di pollo, coniglio o agnello, a pezzi.

C. CARNE STUFATA E IN UMIDO:

È la carne cotta a fuoco molto, molto lento e con una certa quantità di liquido – latte, vino, ecc. Può essere aromatizzata con diverse erbe e può essere "rossa" oppure "in bianco", cioè con o senza salsa di pomodori.

E. CARNE FRITTA:

È la forma di cottura meno usata e di solito viene usata solo per le polpette (palline di carne macinata, che vedi a p.68) o per le cotolette alla milanese, cioè fettine di carne immerse nell'uovo e poi ricoperte di pane grattugiato.

Insieme alla cottura sulla griglia, cioè sul fuoco, una altro modo antichissimo per cuocere la carne è quello di metterla in un ambiente molto caldo, cioè un forno.

Oggi pensiamo al forno della cucina, d'acciaio, dove il calore viene prodotto dal gas o dall'elettricità. È un forno senza odore. Dall'antichità fino all'inizio del Novecento invece il forno ha avuto il profumo della legna, che in parte rimaneva presente anche nel cibo.

In Sardegna – ma anche in alcune altre zone del Sud – c'è poi un forno particolare, che non deve essere cambiato molto da quando i primi uomini impararono a mangiare carne cotta: si tratta di una buca scavata nel terreno, spesso con le pareti coperte di mattoni o con la terra indurita e cotta dagli anni di cottura. Dentro la buca si mette la legna accesa e un piccolo animale, di solito un maialino da latte ("lattonzolo", in italiano; in sardo è un *porceddu*, cioè un "piccolo porco"), poi si copre la buca con una pietra lasciando appena un po' di spazio perché l'aria possa entrare ed il fumo possa uscire. Lentamente il porcellino si cuoce, spesso restando in questo "forno" per più di un giorno: il risultato è stupendo e la parte più buona è la *cotenna* o *cotica*, cioè la pelle, il cuoio tenero del lattonzolo, che diventa croccante e saporita.

LA CARNE AL FORNO /1

FILETTO FARCITO

Ingredienti

1 kg di filetto di manzo, 3 fettine di pancetta stesa, 1 cucchiaino di rosmarino tritato, 1 cucchiaino di prezzemolo tritato, 1 limone, 1 bicchiere di vino bianco secco, 1 noce di burro e 2 cucchiai di olio extravergine di oliva, sale, pepe bianco, nero, rosa, verde

Per il ripieno

50 g di prosciutto cotto, 2 cucchiai di parmigiano grattugiato, una fetta di pan carrè imbevuta nel latte e strizzata, 1 cucchiaio di piselli lessati, 1 albume d'uovo, sale e pepe

Preparazione

Per prima cosa preparare il ripieno: frullare insieme il prosciutto con il parmigiano e il pane imbevuto nel latte e strizzato, aggiungere l'albume d'uovo leggermente montato, condire con sale e pepe e da ultimo aggiungere i piselli (anche surgelati) lessati.

Incidere il filetto nel senso della lunghezza in modo da ottenere una tasca profonda 2/3 cm., salare e pepare l'interno della tasca e poi farcire con il ripieno.
Coprire la tasca con le fette di pancetta e legare il filetto con dello spago da cucina.

Rosolare l'arrosto da tutte le parti in una padella in cui sono stati scaldati due cucchiai di olio. Nel frattempo scaldare il forno a 200°.

Su un foglio di carta da forno spargere il rosmarino e il prezzemolo tritati, un cucchiaino di zesta di limone tritata, i vari grani di pepe pestati e un po' di sale. Rotolare il filetto su questi aromi e poi metterlo a cuocere in una teglia da forno in cui siano stati scaldati un cucchiaio di succo di limone, il bicchiere di vino, il burro e l'olio in cui il filetto era stato rosolato.

Far cuocere per circa una mezzora bagnando la carne con il sugo di cottura.

Quando la carne è cotta, toglierla dal sugo, lasciarla raffreddare e poi tagliarla a fette dello spessore di un cm circa. Frullare il sugo, versarlo sulle fette di carne e scaldare tutto prima di servire insieme a un purè di patate o anche soltanto con patate bollite e pelate.

Montato: sbattuto, mescolato molto in fretta con un frustino in modo da gonfiare l'albume di aria.
Incidere: tagliare da un lato, senza passare da parte a parte.
Tasca: l'apertura, lo spazio prodotto dall'incisione (vedi nota sopra). È un taglio che può essere riempito.
Farcire: riempire una "tasca" (vedi nota sopra) con un ripieno, detto anche "farcia" (ma la parola si usa pochissimo).
Zesta: è un modo di chiamare la buccia del limone.

BUCO O BUCA? LEGNO O LEGNA?

Nel testo hai trovato le due forme femminili, cioè "buca" e "legna". Ma esistono anche i due maschili, sebbene con un significato leggermente differente:

a. un *buco* è uno spazio vuoto dentro qualcosa – un muro, una stoffa, ecc. Di solito passa da parte a parte, cioè è un vuoto completo; ma può anche essere chiuso sul fondo: se ti pungi con un chiodo dici che ti sei fatto "un buco sul dito"; in cucina c'è un tipo di carne che si chiama "osso buco", perché ha un pezzo di osso della gamba, che è fatto come un tubo, ha un buco che è pieno di "midollo", che si può mangiare; una buca è un vuoto nel terreno, su una strada, nella sabbia – o una *buca* in cui far fuoco per cuocere;

b. la *legna* serve per fare fuoco, mentre il *legno* serve per costruire mobili, case, barche, ecc.

LA CARNE AL FORNO /2

GLI "ODORI"

In molti piatti abbiamo visto gli "odori", le "erbette", gli "aromi": si tratta sempre della stessa cosa: piante profumate che vengono aggiunte alla carne (ma anche ai sughi, al pesce, ecc.). Ne hai viste molte, nelle foto di questo libro, e altre ne vedrai, ma forse è bene fermarci un poco su questa componente essenziale della cucina – che è molto difficile da usare, perché se gli odori sono usati nella misura giusta essi sottolineano il sapore, cioè lo mettono in evidenza; se invece gli aromi sono troppi, coprono il sapore e sembra di mangiare un mazzetto di erbette, non un pollo arrosto...

ROSMARINO

È il re degli arrosti; è una pianta tipica del Sud, dove viene anche usato per fare siepi, ma cresce in tutta Italia. Spesso si mettono fogliette di rosmarino anche su una focaccia di pane o una pizza bianca, senza pomodoro.

AGLIO

Molto usato negli arrosti, ha due problemi: per prima cosa ha un sapore molto forte, quindi può rovinare il piatto; secondo, ci sono persone che non lo digeriscono o che sono addirittura allergiche, hanno delle reazioni fisiche pericolose, rischiano di finire in ospedale. Ma è tanto buono!

ALLORO

È meno usato di rosmarino e aglio, ma è altrettanto utile per dare profumo a un piatto; bisogna fare attenzione a non mangiarlo, perché è un po' tossico.

PEPE

I grani di pepe, di origine asiatica, sono usati da secoli in Italia. Li puoi usare interi, e in questo caso danno profumo ma non sapore; oppure il pepe può essere macinato, e dà anche un forte sapore. Il pepe intero si mette di solito durante la cottura, il pepe macinato si aggiunge alla carne dopo che è stata tolta dalla griglia o dal forno.

ODORI, SAPORI E I LORO VERBI E AGGETTIVI

Nelle righe introduttive hai trovato questi due nomi, "odore" e "sapore". Sono concetti che compaiono spesso parlando di cucina. Quali altre parole sono legate a queste due?

	Odore	Sapore
Il nostro corpo li riconosce attraverso due sensi:	olfatto	gusto
L'azione di una persona che li vuole sentire:	annusare	assaporare, gustare
Il fatto di avere un odore o un sapore	profumare di, odorare di	sapere di
La qualità di avere un odore o un sapore	profumato; odoroso è meno usato ed è negativo	gustoso, saporito; meno usato: saporoso
Odore o sapore cattivo	puzza	gustaccio

POLLO ARROSTO CON RIPIENO

Fai attenzione ai verbi usati per dare le istruzioni: sono alla seconda persona plurale dell'imperativo.

Ingredienti

1 pollo da 1,5 kg, già pulito, 2 spicchi di aglio, rosmarino, salvia, olio extravergine di oliva, 1 bicchiere di vino bianco secco, sale e pepe

per il ripieno: il fegato e il cuore del pollo, 300 g di carne di manzo macinata, 1 salsiccia di maiale, 1 uovo, 2 cucchiai di parmigiano grattugiato, 1 cucchiaio di prezzemolo tritato, 50 g di mollica di pane imbevuta nel latte e strizzata, sale e pepe

Preparazione

Per prima cosa preparate il ripieno: in una ciotola capace mescolate accuratamente anche con le mani la carne macinata, la salsiccia spellata, il fegato e il cuore del pollo tritati, e tutti gli altri ingredienti.

Lavate accuratamente il pollo all'esterno e all'interno e asciugatelo.

Riempite poi il pollo con il ripieno che avete appena preparato e cucitelo con ago e filo.

In una teglia da forno disponete il pollo, dopo averlo cosparso di aglio, rosmarino e salvia tritati finemente, sale e pepe. Irrorate di olio e vino bianco e infornate nel forno che avrete acceso precedentemente a 180°.

Cuocete il pollo per circa 1 ora e un quarto, rigirandolo di tanto in tanto e bagnandolo con il sugo di cottura.

Come si serve

Quando il pollo è cotto, lasciatelo raffreddare un po', estraete il ripieno e tagliatelo a fette, poi tagliate il pollo a pezzi e servite tutto insieme caldo con il sugo di cottura.

Di solito, nella cucina tradizionale italiana, il pollo arrosto si serve con le patate arrosto, ma è molto buono anche con una insalata mista o verdure cotte.

Capace: che contiene molto, grande. Nelle ricetta a fianco trovi una parola. che ha lo stesso significato: _____
Estraete: tirate fuori, togliete (dal verbo "estrarre").

CARRÈ DI AGNELLO AL FORNO

Fai attenzione ai verbi usati per dare le istruzioni: sono tutti all'infinito.

Ingredienti

1,5 kg di carré di agnello, qualche cucchiaio di olio extravergine di oliva, 2 spicchi di aglio, rosmarino, salvia, timo, qualche bacca di ginepro, 1 bicchiere di vino bianco secco, sale e pepe

Preparazione

In un piatto capiente disporre il carré di agnello dopo averlo abbondantemente cosparso di tutte le erbe profumate.

Coprire e lasciar riposare per qualche ora.

Accendere il forno a 180°, disporre il carré in una teglia da forno, dopo aver eliminato in parte le erbe profumate.

Irrorare con l'olio e il vino e infornare.

Lasciar cuocere per 1 ora e mezza, girando l'arrosto ogni tanto, bagnandolo con il sugo di cottura.

Quando l'arrosto è pronto, tagliarlo a fette, seguendo le costolette, e servirlo ben caldo con il suo sugo di cottura.

Come si serve

Questo arrosto è ottimo con patate arrosto o bollite e cuori di carciofo trifolati.

Bacca di ginepro: i piccoli frutti ("bacche") secchi di un arbusto profumato.
Capiente: che contiene molto, grande. Nelle ricetta a fianco trovi una parola che ha lo stesso significato: _____
Irrorare: annaffiare, bagnare.
Costolette: ossa lunghe e sottili del petto, del torace: piccole costole.
Cuori: le parti centrali e tenere del carciofo.
Trifolato: cotto con aglio e prezzemolo.

LA CARNE IN TEGAME

Un *tegame* o *casseruola* è un contenitore che viene messo sul fuoco; per cuocere la carne, che richiede tempo, il tegame di solito ha un coperchio, che conserva l'umidità ed evita che la carne si secchi. Quando ormai la carne è cotta, se c'è ancora troppo sugo, cioè c'è troppo liquido, si toglie il coperchio per far evaporare l'acqua: si dice che si "asciuga" il sugo, lo spezzatino, il brasato, ecc.

Il principio dell'*umido* è semplice:

- la carne viene tagliata in cubetti oppure, se il pezzo non è troppo grande, viene lasciata intera;
- spesso la carne viene lasciata per alcune ore ad "insaporire" insieme a degli odori (vedi p. 60); talvolta si bagna anche con vino rosso;
- la carne, viene sempre cotta molto lentamente, in modo che non faccia una crosta esterna e che quindi il liquido e i profumi vengano assorbiti dalla carne stessa. Cuocere in questo modo si dice "stufare": è una parola ormai poco usata, da cui però deriva un termine ancora diffuso, lo "stufato", che può essere di carne o verdure.

Un elemento fondamentale per distinguere la carne in umido è la presenza o l'assenza di pomodoro, che fa diventare il piatto "rosso" o "in bianco".

Un'altra variabile importante è il tipo di "tegame": puoi usare un tegame di metallo (ad esempio la casseruola a pag. 43 o la cocotte a pag. 44), ma i grandi cuochi preferiscono un tegame di "coccio", cioè di terracotta, che distribuisce meglio il calore al suo interno.

1. "VENIRE"

a. completa queste frasi che hai trovato nel testo:

- la carne .... spesso tagliata in cubetti.
- se il pezzo non è troppo grande .... lasciato intero.
- la carne .... lasciata per alcune ore a insaporire.
- la carne .... cotta molto lentamente.

b. in queste frasi il verbo "venire" è un ausiliare utilizzato per formare frasi passive, quelle in cui il soggetto ("la carne") riceve su di sé l'azione descritta dal verbo ("tagliare", "lasciare", "cuocere"). Per costruire le forme passive si usa spesso un altro ausiliare, cioè il verbo ....

c. il verbo fondamentale va al participio passato (che spesso è irregolare!); per fare un po' di allenamento, metti al passivo queste forme impersonali, come negli esempi:

- si lascia a insaporire *viene lasciata a insaporire*
- si cuoce lentamente ....
- si mette subito in tegame ....
- si fa cuocere a lungo ....
- si lasciano nel sugo *vengono lasciati nel sugo*
- si mettono in casseruola ....
- si fanno bollire un po' ....
- si cuociono per un'ora ....

2. QUANTE VOLTE?

Completa queste frasi che hai trovato nel testo:

- il tegame .... ha un coperchio.
- la carne viene .... tagliata in cubetti.
- .... la carne viene lasciata ad "insaporire".
- .... c'è anche vino o birra.
- .... se il pezzo non è troppo grande viene lasciato intero;
- la carne viene .... cotta molto lentamente.

IL BRASATO

Ingredienti

Nota il titolo della sezione "ingredienti" nella ricetta di fronte.

1,5 kg di carne di manzo da brasato, 1 l di vino rosso (preferibilmente piemontese), 2 canne di sedano, 2 carote, 2 scalogni, 2 spicchi di aglio, salvia e rosmarino, timo, bacche di ginepro, pepe nero in grani, chiodi di garofano, sale, olio extravergine di oliva, 50 g di burro

Procedimento

In una capace terrina mettere il pezzo di carne da brasato insieme a tutti gli odori tritati grossolanamente, le bacche di ginepro, il pepe e i chiodi di garofano. Versare il vino fino a coprire la carne, coprire la terrina e lasciare riposare in frigo per 2 giorni mescolando di tanto in tanto.

Scolare la carne dal vino, conservare gli odori e gettare il vino.

Scaldare in una casseruola l'olio e il burro, aggiungere la carne e rosolarla da tutte le parti per alcuni minuti a fuoco vivace. A questo punto abbassare il fuoco, aggiungere tutti gli odori, e un bicchiere di vino fresco, uguale a quello in cui la carne si è insaporita.

Coprire e lasciar cuocere per 2 ore circa a fuoco lento, aggiungendo poco alla volta il vino necessario.

Come si serve

Quando la carne è cotta, toglierla dal sugo, lasciarla raffreddare e poi tagliarla a fette. Passare il sugo con il passaverdura, poi rimettere nella casseruola la carne con tutto il sugo.

Servire caldissimo accompagnato da polenta o da purè di patate.

Gettare: eliminare, buttare via.

LO SPEZZATINO

Che cosa serve

Nota il titolo della sezione "che cosa serve" nella ricetta a sinistra.

1 kg di carne di manzo o vitello o maiale (oppure tutte e tre insieme) tagliata a cubetti, 1 cipolla, 2 canne di sedano, 2 carote, 1 spicchio di aglio, qualche chiodo di garofano, qualche bacca di ginepro, un pizzico di timo, sale e pepe, olio extravergine di oliva, 1 noce di burro, 1 bicchiere di vino rosso, 1 barattolo di salsa di pomodoro oppure di pomodori pelati

Come si prepara

In una casseruola preparare un soffritto con la cipolla, il sedano, le carote e l'aglio e scaldarlo nell'olio e il burro.

Quando è pronto aggiungere la carne leggermente infarinata.

Rosolare a fuoco vivace mescolando accuratamente, poi aggiungere qualche chiodo di garofano, qualche bacca di ginepro e un pizzico di timo, sale e pepe.

A questo punto aggiungere il vino rosso e lasciare a sfumare. Versare poi la salsa di pomodoro e lasciare a cuocere a lungo, a fuoco lento. Ci vorrà sicuramente almeno un'ora e mezza.

Come si serve

Lo spezzatino si serve ben caldo accompagnato da polenta o da un purè di patate.

Bacca di ginepro: i piccoli frutti ("bacche") secchi di un arbusto profumato.
Vivace: forte, alto. (Detto di una persona, significa che è attiva, sempre in movimento).
Sfumare: evaporare, consumarsi.

IL LESSO

Sulla tavola italiana, soprattutto nell'Italia settentrionale, il *lesso* o *bollito* è un piatto davvero regale, che si mangia sopratutto in inverno. Era uno dei piatti più diffusi e serviva per utilizzare anche i tipi di carne che di solito non si mangiavano perché troppo duri, grassi, pieni di nervature.

Di solito il lesso è chiamato "i lessi", al plurale, oppure "bollito misto": questo significa che ci sono pezzi di carne molto diversi tra di loro, cioè "misti", "diversi".

E più il bollito è misto, più è apprezzato.

UN PIATTO DIFFICILE, ANCHE SE NON SEMBRA

L'aggettivo "misto" è il problema di questo piatto, perché richiede:

a. una grande attenzione alla varietà delle carni: ci vanno pollo, manzo, maiale, ma non può esserci pecora o capra, che hanno un sapore troppo forte;

b. grande attenzione a variare la "consistenza", cioè il fatto che la carne sia più dura o tenera, abbia nervature o sia macinata: nella foto qui sopra, ad esempio, vedi una combinazione tra fette di cotechino (carne di maiale, macinata, quindi morbida) e carne di manzo, che spesso ha delle nervature ed è abbastanza solida;

c. la cottura di carni diverse richiede tempi e pentole diverse: ad esempio, non puoi cuocere la carne del pollo nella stessa acqua in cui stai bollendo un cotechino di maiale, perché quest'ultimo ha un sapore fortissimo; come vedi nella ricetta, fare un bollito misto richiede una buona organizzazione in cucina;

Mentre fai bollire la carne puoi anche cucinare delle verdure: alcune vanno poi buttate, perché non sono più buone dopo che hanno regalato il loro profumo alla carne; altre, come le carote nella foto, possono essere servite; altre ancora, come i broccoletti, vanno invece cotti separatamente.

Quindi non bisogna credere che per fare un piatto di lessi sia sufficiente mettere tanti pezzi di carne in un pentolone di acqua bollente: questo piatto *sembra* facile, ma in realtà è delicatissimo e il risultato finale può essere stupendo o anche molto banale, a seconda della fantasia e dell'attenzione che il cuoco ci mette!

LE "SALSE" PER IL BOLLITO

Nella foto vedi che sul cotechino c'è una salsa verde: di solito si parla di "salsa" (che in italiano antico significava "salata"), ma spesso nei ristoranti trovi anche maionese, ketchup e altre forme di condimenti che non hanno niente a che fare con le salse tradizionali che puoi mettere sulla carne lessa per aggiungere un po' di sapore. La più tipica di queste salse per il bollito è la "salsa verde", ma ce ne sono anche altre e te ne puoi inventare anche tu, ricordando che devono servire a sottolineare il sapore, ma non devono in nessun modo coprirlo.

La salsa verde si ottiene mescolando molto prezzemolo tritato con un uovo sodo, qualche acciuga sott'olio, olio, aceto, sale e pepe. È una salsa molto appetitosa e non se ne prepara mai abbastanza. Un'altra salsa tradizionale per il bollito misto è quello che in Italia settentrionale si chiama *kren* che si compra anche in vasetti, ma che si può preparare in casa tritando molto finemente il rafano e mettendolo sotto aceto. Inoltre si possono servire anche i "sottaceti", che sono delle verdure, carote, cipolline, sedano, cavolfiore, cetriolini, che vengono sbollentati e poi messi in vasetti e ricoperti di aceto e conservati per l'inverno. Se tutte queste verdure vengono messe insieme allora si dice che si prepara (o si compra…) la "giardiniera".

Lesso: deriva dal verbo "lessare", che vuol dire bollire, cuocere in acqua; ma se dici che uno sportivo è "lesso" significa che ormai è finito, non ha più forza; e se di una persona dici che è un "pesce lesso" dici che è noioso, insignificante.
Nervature: sono i "nervi" e i "tendini", cioè delle specie di striscioline o fili biancastri che trovi nella carne e che sono molto duri da mangiare.
Appetitosa: saporita.
Rafano: una radice, che assomiglia un po' a una carota bianca, che viene grattugiata; ha un sapore molto forte, piccante, ed è detta anche *kren*.

CHE COSA È CHE...

a. … rende "misto" un piatto di bollito?

----

b. … rende difficile preparare un piatto di bollito?

----

c. … rende stupendo o banale un piatto di bollito?

----

d. … rende verde la più comune salsa per il bollito?

----

e. … rende un po' acida la giardiniera?

IL BOLLITO MISTO

Che cosa serve

500 g di polpa di manzo, 300 g di lingua di vitellone, 1/4 di gallina, un pezzetto di coda di vitellone, 1 piedino di vitello, 1 cotechino, 1 cipolla, una canna di sedano, una carota, qualche grano di pepe

Come si prepara

In una pentola piuttosto grande mettere a bollire abbondante acqua con 1 cipolla, una canna di sedano, una carota, qualche grano di pepe.

Quando bolle immergervi la carne di manzo, la lingua, la gallina e la coda. Aspettare che riprenda a bollire, poi coprire con un coperchio e lasciare cuocere a fuoco basso per circa 1 ora e 1/2.

Nel frattempo in una pentola immergere in acqua fredda il cotechino dopo averlo punzecchiato con uno stuzzicadenti.

Metterlo a bollire e lasciarlo cuocere per 45 minuti circa.

In un'altra pentola mettere a bollire in abbondante acqua fredda una carota, una cipolla e una canna di sedano, insieme a qualche grano di pepe. Quando bolle immergervi il piedino di vitello e farlo bollire per circa 1 ora.

Come si serve

Scolare la carne, il cotechino e il piedino, togliere la pelle alla lingua e al cotechino, tagliare tutto a fette e servire caldissimo accompagnato da salsa verde al prezzemolo, salsa di senape oppure sottaceti.

Ricordare che bisogna buttare l'acqua di cottura del cotechino e del piedino mentre il brodo ottenuto con la carne può essere usato per un risotto o una minestra.

Punzecchiato: bucherellato, con dei piccoli buchi qua e là perché possa uscire il liquido dall'interno.
Stuzzicadenti: bastoncino di legno che serve per togliere piccoli pezzi di cibo che rimangono tra i denti; può essere usato per "punzecchiare" o per "bucherellare" (vedi nota sopra).

LA CARNE FRITTA

In Italia si dice che "fritte sono buone anche le suole delle scarpe": ciò vuole significare che i cibi fritti, sia che si tratti di verdure, sia di carni o pesce, sono sempre molto buoni.

A condizione però che siano fritti molto bene!

UN PIATTO DIFFICILE, ANCHE SE NON SEMBRA!

A pag. 64 abbiamo visto il bollito misto ed abbiamo scoperto quanto sia complesso e raffinato un piatto che in apparenza è semplice e facile da fare.

Anche il "fritto misto", come il "bollito misto", è un piatto complesso per varie ragioni:

a. anzitutto bisogna scegliere bene che cosa friggere: come vedi nella foto, ci sono dei pezzetti di carne (a destra, delle costicine di agnello; a sinistra, dei cubetti di carne), ma ci sono anche delle verdure (in basso a sinistra, dei fiori di zucca, in alto altre verdure, tra cui una cipolla; il pomodorino non è fritto ma aggiunto dopo); si possono aggiungere anche delle cose dolci, come i cubetti di crema fritta;

b. in secondo luogo bisogna lasciare nell'olio ogni tipo di carne e verdura solo il tempo che serve – e questo tempo dipende sia dal tipo sia dalla dimensione della carne: un pezzetto di maiale richiede più tempo di un pezzetto di pollo, e un pezzo più grande deve restare qualche tempo in più di un pezzetto più piccolo;

c. di solito la carne viene messa nell'olio dopo essere stata "impanata" (come trovi nella ricetta della cotoletta alla milanese, qui a lato) con uovo e pane grattugiato, verdure e creme vengono invece impastellate, in una pastella fatta di uova, farina e acqua; la pastella non deve essere troppo grossa;

d. infine c'è da fare molta attenzione all'olio, che può essere di oliva o di semi: deve essere molto caldo, in modo che appena messi dentro i pezzetti si coprano di una crosticina che evita all'olio di penetrare fino all'interno, ma non deve essere troppo caldo, non deve fumare, perché altrimenti altera il sapore del cibo fritto.

Suola: la parte inferiore di una scarpa, quella che separa il piede dal pavimento. Dire che una bistecca è come una suola significa che è molto dura.
Costicine: sono le costole di un agnello o di un maiale; vengono dette anche "costolette".
Crosticina: una leggera crosta, cioè la superficie esterna, dura e croccante, delle cose che vengono cotte al forno o nell'olio bollente.
Altera: cambia, modifica; si pronuncia "àltera" e deriva dal verbo "alterare"; se pronunci "altèra" ti riferisci ad una donna superba, che si sente molto in alto dal punto di vista sociale.

RIQUADRO GRAMMATICALE

"Sia" o "è"?
Nelle prime righe del testo hai trovato questa frase:

abbiamo scoperto quanto sia complesso e raffinato un piatto
ma molti italiani, e non solo di istruzione bassa, avrebbero potuto dire

abbiamo scoperto quanto è complesso e raffinato un piatto

Che modo è stato usato?
sia   ☐ indicativo   ☐ congiuntivo

è   ☐ indicativo   ☐ congiuntivo

Un italiano formale e raffinato richiede il congiuntivo dopo verbi come *credere che, pensare che, scoprire se/come/quanto, sapere se/quanto/come* ed altri che esprimono opinioni o conoscenza. Ma il congiuntivo
sta lentamente sparendo da molte situazioni in cui era obbligatorio… anche se ad alcuni la mancanza del congiuntivo dà proprio fastidio, come un accordo stonato durante una canzone.

LA COTOLETTA ALLA MILANESE

Questo piatto è famoso anche a Vienna in Austria, e nel mondo è spesso chiamata "cotoletta alla viennese", cioe Wienerschnitzler. In Italia probabilmente è arrivata negli anni in cui Milano era la capitale del "Lombardo-Veneto", la zona del Nord che faceva parte dell'Impero Asburgico.

Ancora oggi nelle due città, Milano e Vienna, i cuochi continuano a discutere su quale sia la ricetta originale.

Che cosa serve

4 fettine di fesa di vitello battuta con il pestacarne, 1 uovo intero, sale, 1 limone, farina, pane grattugiato, olio per friggere, una noce di burro, limone

Come si preparano

In una ciotola battere leggermente l'uovo, insieme al succo di limone e al sale, e poi immergere una alla volta le cotolette che prima saranno state leggermente infarinate.

Quando sono ben "bagnate" di uovo, appoggiarle sul pane grattugiato in modo da "impanarle". In una padella scaldare l'olio insieme al burro e quando sarà caldo immergere le cotolette.

Dopo qualche minuto girarle e lasciar friggere fino a che le cotolette non saranno belle dorate. Quando sono pronte scolarle dall'olio facendole asciugare su una carta assorbente.

Come si servono

Servire le cotolette ben calde accompagnate da una verdura cotta, oppure da patate fritte. La cotoletta è buona anche il giorno dopo fredda, dentro a un panino.

Fesa: tipo di carne che si taglia a fettine sottili molto tenere.
Pestacarne: attrezzo pesante, fatto come un disco con un manico, che serve per battere la carne e rendere più sottili le fette.
Assorbente: che assorbe, cioè "succhia" l'olio togliendolo alla carne, che quindi diventa più leggera.

LA CARNE MACINATA

Finora abbiamo visto *pezzi* di carne messi sul fuoco, nell'acqua, in forno, nell'olio. Ma la carne può anche essere macinata e poi, mescolata con odori ed erbette varie, con l'aggiunta di un uovo che aiuta a "incollare" il tutto, può essere preparata nella forma di *polpette* (le palline che vedi nella foto qui accanto) da friggere, oppure di *polpettone*, più grande, lungo più o meno una ventina di centimetri e largo 8-10 centimetri, da cuocere al forno o anche nel brodo.

L'origine delle polpette e del polpettone è semplice: è un modo per utilizzare tutta la carne un po' grassa o per riciclare carne che è già stata cotta ma non è stata mangiata: si macina il tutto, si mescola con erbe profumate e uovo, con pane grattugiato e con un po' di grana o altro formaggio grattugiato... e anche se è carne povera e riciclata diventa per forza un capolavoro!

UN PIATTO CHE VA A RUBA

"Andare a ruba" significa che una cosa ha tanto successo che viene rubata. Le polpette, in effetti, sono una delle cose che vanno a ruba, e non sono solo i bambini a rubarle: se si passa in cucina mentre vengono fritte, spesso si allunga la mano tra quelle già cotte e se ne ruba una – e poi si urla perché scottano e bruciano la lingua!

Anche su una tavola su cui ci siano già i piatti pronti, viene spesso la tentazione di farsi un antipasto non previsto, rubando una polpetta.

E in qualche modo il furto delle polpette è permesso: ci si ride sopra. Ma c'è una specie di teatro quando si rubano le polpette: anche se ha cinquant'anni il "ladro" finge di essere un bambino che non sa resistere, e chi cucina fa finta di arrabbiarsi e di voler mandar via il ladro, spesso chiama gli altri perché difendano il piatto... È un gioco che richiama il fatto che le polpette sono indubbiamente il piatto preferito dei bambini!

1. COME SI DICE...

Nel testo hai trovato dei verbi che in un'unica parola dicono quel che qui sotto trovi in varie frasi. Scrivi il verbo giusto nella linea.

a. tritare la carne, riducendola in pezzetti molto piccoli, in modo che diventi un impasto: ....

b. mettere insieme ingredienti di vari tipi e poi muoverli per amalgamarli, poi farli diventare un unico impasto: ....

c. passare un formaggio, del pane secco, una verdura abbastanza dura su una superficie con delle punte e dei buchi, in modo da ridurre in polvere, in piccolissimi pezzi: ....

d. utilizzare cose o avanzi di cibo che normalmente vengono buttati via, ma che possono essere riutilizzate dando origine a qualcosa di nuovo: ....

POLPETTE AL VINO BIANCO

In Italia spesso si dice che le migliori polpette si fanno con gli avanzi di carne lessa, ma queste che vi proponiamo sono preparate con la carne cruda.

Tempo di preparazione: 20 minuti
Tempo di cottura: 30 minuti

Ingredienti per 20 polpette

500 g di polpa di vitellone macinata, 7 o 8 fette di pan carré oppure un panino raffermo imbevuto nel latte freddo, 3 o 4 cucchiai di parmigiano grattugiato, abbondante prezzemolo tritato, 1 spicchio d'aglio, 2 uova intere, olio extravergine d'oliva, 1 dado per brodo, un bel bicchiere di vino bianco secco

Come si preparano

Mettere tutti gli ingredienti (esclusi l'olio e il vino) in una terrina piuttosto grande e amalgamarli per bene anche usando le mani, non soltanto la forchetta.

Formare con l'impasto delle polpette, cioè delle palline della grandezza di una pallina da ping pong leggermente schiacciata, infarinarle e soffriggerle nell'olio ben caldo.

Le polpette si possono mangiare fritte, ma volendo si può fare un altro passaggio. Dopo averle scottate da entrambe le parti, si può aggiungere un brodo preparato precedentemente sciogliendo un dado in 200 ml (millilitri, cioè 200 g o due etti) di acqua e 100 ml di vino bianco. Lasciar cuocere fino a che il liquido non si sia asciugato, voltando di tanto in tanto tutte le polpette.

Come si servono

Le polpette si servono calde o tiepide accompagnate da un purè di patate oppure da verdura cotta o ancora una insalata mista, a seconda dei gusti e della stagione.

Bel: in molti casi non significa "bello" ma indica una grande dimensione, un lunga durata: un bel bicchiere è un bicchiere grande; un bel po' di tempo significa "molto tempo".

ESERCIZI DI RIEPILOGO

1. LA TRADIZIONE DELLA CARNE IN ITALIA

Inserisci negli spazi le parole giuste scegliendole tra quelle indicate nella colonna laterale.

La carne è stata per secoli riservata ai _____,	ricchi / poveri
i _____ avevano poca carne a disposizione,	ricchi / poveri
più che altro polli o _____ allevati nel cortile e qualche maiale.	conigli / vitelli
Se avevano delle _____, queste servivano per il latte.	galline / mucche
Nel Centro e nel Sud Italia si allevavano le _____,	mucche / pecore
ma anche quelle servivano più per il _____ che per la carne.	latte / grasso
Quando si uccideva un animale grande, come un _____.	maiale / coniglio
Dopo il "miracolo economico" la _____ è diventata disponibile per tutti,	pasta / carne
conservando il suo valore di "pasto _____",	povero / ricco
e solo negli ultimi dieci anni il suo consumo _____	limitato / eccessivo
sta _____ sia per ragioni mediche sia per il ritorno dei cibi "poveri".	Crescendo / riducendosi
Anche se _____ paragonabile alla varietà della pasta e dei sughi,	è / non è
la cucina della carne ha una certa _____.	varietà / uniformità

2. SUINI, BOVINI, OVINI

a. Dai qualche esempio di animali che rientrano nelle tre principali categorie:
   suini: _____
   bovini: _____
   ovini: _____

b. Di' come si chiamano i piccoli, i cuccioli dei/delle:
   maiali: _____
   pecore: _____
   mucche: _____

3. COME SI CUOCE LA CARNE

Di' come si chiama la carne sulla base della sua forma di cottura:

a. carne _____
   è la forma più antica di cottura della carne, che può essere cotta al sangue, cioè molto rossa all'interno, a cottura media oppure ben cotta.

b. carne _____
   è cotta al forno, spesso condita con molte erbe, accompagnata da un sugo prodotto dal grasso della carne stessa.
   Può essere servita a fette oppure, se si tratta di pollo, coniglio o agnello, a pezzi.

ESERCIZI DI RIEPILOGO

c. carne _____
   è la carne cotta a fuoco molto, molto lento e con una certa quantità di liquido – latte, vino, ecc. Può essere aromatizzata
   con diverse erbe e può essere "rossa" oppure "in bianco", cioè con o senza salsa di pomodoro.

d. carne _____
   è la forma di cottura meno usata e di solito viene usata solo per le polpette o per le cotolette alla milanese.

e. carne _____
   è la carne (o vari tipi di carne) cotta in una pentola d'acqua bollente, spesso con l'aggiunta di carota, sedano, cipolla.

4. GLI "ODORI"
Quali "odori" corrispondono a queste descrizioni?

a. _____
   è il re degli arrosti; è una pianta tipica del Sud, ha rametti di una ventina di centimetri con foglie sottili e dure.

b. _____
   è molto usato negli arrosti, ha un sapore molto forte, ci sono persone che non lo digeriscono; è una radice divisa
   in tanti spicchi.

c. _____
   è utile per dare profumo agli arrosti e ai ragù; bisogna fare attenzione a non mangiarlo, perché è un po' tossico.
   Ha foglie abbastanza grandi, dure, verde scuro.

d. _____
   di origine asiatica, può essere in grani oppure in polvere, e dà profumo ma anche una sapore piccante. Si aggiunge
   alla carne dopo che è stata tolta dalla griglia o dal forno.

5. LE RICETTE DI QUESTO MODULO
Per ripassare le ricette, riscrivi i loro
nomi in questo cruciverba

PAG. 63

PAG. 68 →

← PAG. 67

PAG. 63 →

← PAG. 59

PAG. 61 →

↑
PAG. 65

I SECONDI DI PESCE

L'Italia è un Paese mediterraneo, legato al mare, e quindi la cucina di pesce è fondamentale; nel cuore della Pianura Padana, da Bologna a Milano o Torino, e nelle città dell'interno della penisola, da Firenze a L'Aquila a Potenza, una volta non c'era tradizione di pesce, perché il mare era distante; ma oggi i trasporti sono rapidissimi e quindi anche nelle città della pianura e dell'interno si diffonde sempre più l'abitudine di mangiare pesce di mare – oltre a quello di fiume o di lago.

Come in tutta la cucina italiana, le differenze regionali sono enormi – e sono differenze che, come abbiamo visto a pagina 14, si trovano anche nella lingua usata per parlare del pesce: il "branzino" dell'Adriatico e la "spigola" del Tirreno sono lo stesso pesce, come anche le "alici" e le "acciughe", oppure i "polipetti", i "moscardini" e i "folpetti". E poi ci sono i nomi legati ai dialetti, che vengono italianizzati e si diffondono in tutt'Italia...

MOLLUSCHI, CROSTACEI, CALAMARI

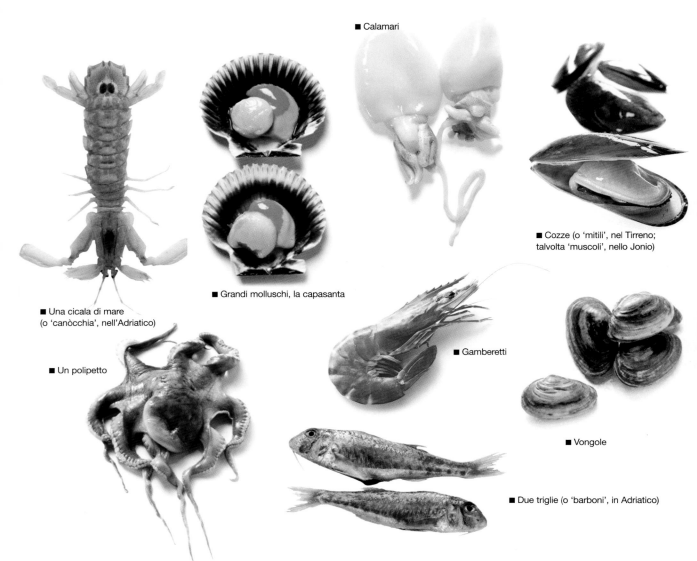

■ Calamari

■ Cozze (o 'mitili', nel Tirreno; talvolta 'muscoli', nello Jonio)

■ Grandi molluschi, la capasanta

■ Una cicala di mare (o 'canòcchia', nell'Adriatico)

■ Un polipetto

■ Gamberetti

■ Vongole

■ Due triglie (o 'barboni', in Adriatico)

Noi diciamo "pesce", ma intendiamo anche molti animali che non sono pesci, come vedi da queste foto. In queste foto hai un vero pesce (la triglia, dal tipico colore rosso-grigio): ha la testa, limitata ai lati dalle *branchie*, da cui esce l'acqua che i pesci respirano per prendere l'ossigeno, ha una grossa coda e, sul fianco, ha delle *pinne*, delle "ali" che aiutano il pesce a cambiare direzione. Nelle altre foto puoi vedere dei:

a. molluschi

Sono animali che vivono sul fondo del mare o attaccati agli scogli e sono protetti da due "valve", due ventagli di osso che bisogna aprire per poter mangiare ciò che sta all'interno; qui vedi una capasanta aperta, cozze dal guscio blu-nero e vongole.

b. crostacei

Sono animali che hanno un guscio esterno abbastanza duro (si chiama "carapace") e delle zampette con cui si muovono sul fondo del mare o tra gli scogli; qui vedi un gamberetto e una cicala di mare, in cui si notano le piccole "chele", cioè degli arti che terminano con delle tenaglie taglienti con le quali si difendono, come i granchi o gli astici, che però hanno chele più grosse e pericolose. Bisogna dire che la polpa delle chele, una volta bollite, è squisita.

c. cefalopodi

La parola è difficile anche per italiani: significa che la testa ("cefalo") e i piedi ("podi") sono uniti, come nei polpi (trovi qui la foto di un polipetto), nei calamari, nelle seppie. Hanno otto zampe, dette *tentacoli*.

IL PESCE CRUDO

Tradizionalmente si mangiano crudi alcuni molluschi, soprattutto le ostriche. Negli ultimi anni si è diffusa l'abitudine di mangiare crudo anche il pesce: questa era una tradizione poco diffusa in Italia, ma da un lato il diffondersi del sushi giapponese, dall'altro quello del "carpaccio" di carne (affettata sottile come il prosciutto e mangiata cruda con parmigiano, olio e aceto balsamico) sta facendo scoprire agli italiani che si possono mangiare crudi anche il branzino, il pesce spada, il tonno.

Molte delle persone che mangiano pesce lo fanno sia perché è un buon cibo, sia perché sanno che non ha colesterolo e che fa bene alla salute; ed è proprio questa attenzione alla salute che spinge molti a provare il pesce crudo, che conserva tutte le sue qualità nutrizionali; qui a fianco vedi una foto: il pesce, tagliato a fettine sottili, va bagnato con un po' di prosecco e con abbondante olio; una spruzzata di pepe completa questo piatto.

Colesterolo: un grasso del sangue che può riempire le arterie e provocare infarto, cioè la rottura del cuore.
Nutrizionali: di nutrimento, cioè la qualità di portare al corpo gli elementi di cui ha bisogno per nutrirsi in maniera sana.

1. FISSIAMO BENE I NOMI NELLA MEMORIA
In queste due pagine hai trovato molti nomi specifici della cucina del pesce. Ripassiamoli, per impararli bene.

a. scrivi il nome di un mollusco: --------------------------------

b. le "gambe" dei polipi si chiamano ----------------------

c. le "braccia" di un crostaceo si chiamano

----

d. scrivi il nome di un crostaceo: -----------------------

e. I pesci non hanno un grasso pericoloso, il

----

f. scrivi il nome di un cefalopodo: ----------------------

g. il più tipico dei molluschi che si mangia crudo è

   l'--

h. i gusci dei molluschi si chiamano ------------------------

   (attenzione: nel testo è al singolare, qui serve il plurale)

i. la carne o il pesce tagliati a fettine sottili e serviti crudi si

   chiamano "--------------------------------------"

lisca — coda — pinne — branchie

corpo, carapace — zampe — chele

testa — bocca — tentacoli

L'ANTIPASTO DI PESCE

Nella foto vedi un piatto di crostacei, che sono sempre presenti in un antipasto di pesce (vedi pp. 24-25): sul fondo vedi due cicale di mare; poi ci sono quattro gamberetti, e due gamberi più grandi. Nelle ricette vedi invece due piatti di molluschi, anche questi presenti in molti antipasti di pesce. Oltre ai molluschi e ai crostacei, nell'antipasto di pesce si servono:

- dei *polipetti*, bolliti e talvolta tagliati in due,
- un'insalata di *piovra*, cioè un polipo abbastanza grande che può pesare anche un paio di chili, bollito e tagliato a pezzetti e mescolato a pezzetti di sedano, patate bollite, qualche sottaceto e condito con olio extravergine di oliva, sale, pepe e succo di limone o aceto balsamico,
- dei *pesciolini* di piccola misura, come le alici o le sardine, che possono essere fritte oppure marinate, cioè lasciate per varie ore in succo di limone che le "cuoce", olive, e odori vari;
- delle *uova* di seppia, bollite e condite con olio, sale, pepe e succo di limone.

In un buon ristorante di pesce, l'antipasto è un piatto ricco e di qualità. Di solito questo piatto presenta una grande varietà di pesci, molluschi, crostacei, cotti in modi molto diversi, a volte soltanto bolliti e conditi con olio e succo di limone, altre volte "stufati" con aglio, olio e peperoncino, perché ogni tipo di "pesce" va cotto in maniera diversa.

Spesso gli antipasti sono molto ricchi e quindi poi non si mangia nient'altro oppure si sceglie tra un primo o un secondo: raramente si fa un pasto completo, nei ristoranti di pesce!

Ricco: riferito a un cibo, "ricco" significa "abbondante", composto da molte cose.

1. NUMERI IMPRECISI

In cucina spesso non si danno misure precise, si usano espressioni come "un filo d'olio", "una spolverata di parmigiano".

Nel riquadro abbiamo visto "paio", "centinaio", "migliaio". Trovi queste parole, e altre simili, in queste frasi: traducile con la formula "circa + numero", come nell'esempio.

a. Questa piovra pesa un paio di chili
   circa due chili

b. Compri una decina di panini?

   ----

c. Mi serve una dozzina di uova

   ----

d. Per comprare tutto questo ti serve un centinaio di euro

   ----

e. Capisco subito se è cotto: l'avrò preparato almeno un migliaio di volte!

   ----

f. Devi tagliare gli asparagi in pezzetti di un paio di centimetri

   ----

g. Siamo in tanti oggi: bisogna preparare una trentina di polpette

   ----

h. Chissà se è ancora buono… l'ho comprato una quindicina di giorni fa

   ----

COZZE

Questa ricetta viene presentata in maniera diversa dalle altre di questo libro, cioè in maniera discorsiva.

Le cozze si possono cuocere in modi diversi, ma se sono freschissime si possono servire anche crude, con pepe e limone.

Se si preferisce consumarle cotte, si lavano molto accuratamente togliendo la "barba" e si mettono ad aprire in una padella in cui sia già stato scaldato dell'olio di oliva, 2 spicchi di aglio, un pezzetto di peperoncino e un mezzo bicchiere di vino bianco.

Quando le cozze si sono tutte aperte (se non si aprono bisogna eliminarle), si cospargono con una cucchiaiata di prezzemolo tritato e si portano in tavola in padella in modo da non farle raffreddare. Per il sugo serve qualche fetta di pane da intingere.

Le cozze si possono anche cuocere al forno: si aprono ad una ad una, con un coltellino si stacca la polpa e poi la si rimette nella sua conchiglia. Nel frattempo si prepara un ripieno con pane grattugiato, parmigiano grattugiato, prezzemolo, aglio, origano e olio extravergine di oliva, un pizzico di zesta di limone grattugiata. Si versa un cucchiaino di ripieno sopra ciascuna cozza e si dispongono in un solo strato in una teglia da forno. Si mettono poi a cuocere in forno caldo (180 °) per dieci minuti circa, e poi si servono calde.

CAPESANTE GRATINATE

La parola "capa", spesso italianizzata in "cappa", nel nord Adriatico significa "mollusco con due valve, conchiglia": la valva è, appunto, la cappa.

Ingredienti

12 capesante con il loro guscio, qualche cucchiaiata di pangrattato, un cucchiaio di prezzemolo tritato, qualche cucchiaiata di pecorino grattugiato, pepe bianco, uno scalogno tritato, uno spicchio di aglio, un bicchierino di cognac.

Preparazione

In una terrina preparate la gratinatura mescolando il pangrattato, il prezzemolo e l'aglio tritati, il pecorino grattugiato e una spolverata di pepe bianco.

Separate i muscoli delle capesante dai gusci e lavateli molto accuratamente perché sono spesso pieni di sabbia.

Fate saltare i muscoli in padella per pochi minuti, a fuoco allegro, con l'olio, lo scalogno e un bicchierino di cognac.

In una teglia da forno disponete i gusci delle capesante, e in ciascuno mettete un muscolo che coprirete con un cucchiaino della gratinatura che avete preparato in precedenza.

Versate poi un filo di olio su ciascuna capasanta e mettete in forno per pochi minuti. Fino a che la gratinatura sarà... gratinata

Barba: dei peletti che si vedono vicino al bordo delle "valve".
Intingere: mettere per qualche secondo un pezzetto di pane nel sugo perché ne assorba un po'.
Zesta: è un modo di chiamare la buccia del limone; la parola si usa solo tra cuochi.

Pangrattato: pane grattugiato, cioè "grattato" sulla grattugia.
Scalogno: specie di cipollotto dal sapore intenso.
Gratinatura: "gratinare" significa cuocere al forno coprendo la superficie (della capasanta, ma anche di un pomodoro, di un finocchio, ecc.) con la "gratinatura", cioè l'insieme descritto nel testo. La gratinatura, mentre viene cotta, si abbrustolisce,

diventa cioè dorata, secca, fa una specie di crosticina.
Spolverata: un po'.
Muscoli: i corpi del mollusco. Spesso alcuni molluschi, come le cozze, vengono chiamati "muscoli" o "muscoletti".
Saltare: cuocere rapidamente su fuoco vivace con un po' di olio e odori.
Allegro: vivace, alto.

Disponete: mettete; "disporre" aggiunge al verbo "mettere" un'idea di ordine, di attenzione al modo in cui le cose vengono messe.

IL PRIMO DI PESCE

Un primo piatto di pesce non è diverso, come natura, dai primi piatti della tradizione italiana, come puoi vedere da queste quattro ricette:

A. ZUPPA

così come ci sono le zuppe di verdura, che hai visto a pagina 47, allo stesso modo esiste una minestra basata sul pesce – meglio: su vari tipi di pesce, perché la zuppa mette insieme vari pesci, di solito di qualità non pregiata, non adatti ad essere fatti al forno o in altro modo. In ogni regione la zuppa di pesce è diversa, e si va da quella delicatissima del Veneto a quella piccante di Livorno, detta "caciucco";

B. LA PASTA

tradizionalmente si usano spaghetti o linguine (spaghetti che hanno la sezione ovale anziché circolare), che vengono poi conditi con vongole, gamberi, polipetti, ecc.: molluschi che si trovano vicini alle rive, sia sulla sabbia sia sulle rocce, che si chiamano "scogli": per questo la tipica pasta asciutta a base di pesce si chiama "spaghetti allo scoglio", ma puoi avere pasta ai gamberi, alle vongole, ecc.;

C. IL PASTICCIO DI PESCE

allo stesso modo in cui c'è il pasticcio di carne (pag. 42) o di verdure, così puoi avere anche un pasticcio farcito (cioè "riempito") di pesce, molluschi e crostacei;

D. IL RISOTTO DI PESCE

come esistono i risotti di carne e di verdura (vedi pag. 44) così hai anche il risotto cotto insieme al brodo di pesce ed a pezzetti di pesce, di molluschi, di crostacei. Il risotto di pesce è difficile da fare perché i vari tipi di pesce cuociono in tempi ed in modi diversi, quindi bisogna essere molto attenti.

Come abbiamo detto parlando della zuppa di pesce, ogni regione, ogni città di mare ha la sua ricetta, la sua tradizione – ma tutti i primi piatti di pesce che puoi trovare in Italia rientrano, in qualche modo, nelle quattro categorie che abbiamo descritto.

ZUPPA DI PESCE

1 kg di pesce misto: scorfano, rana pescatrice, san pietro, 1 kg di calamari e seppie piccole, 300 g di gamberi sgusciati, 500 g di cozze, 500 g di vongole, 3 spicchi d'aglio, 500 g di polpa di pomodoro, 1 ciuffo di prezzemolo, peperoncino quanto basta, sale e olio extravergine d'oliva.

Preparazione

Pulire tutti i pesci: squamarli, tagliare le pinne, levare le interiora.

Separare la polpa dalla testa e dalla lisca e in poca acqua far bollire le teste e le lische per ottenere un brodetto che poi verrà aggiunto al resto della zuppa.

Pulire bene le cozze e le vongole e farle scaldare in una padella con un po' d'olio e uno spicchio d'aglio fino a quando saranno aperte.

Pulire e tagliare a rotelle le seppie e i calamari e lavare bene i gamberi.

In un tegame capiente far dorare due spicchi d'aglio in poco olio, poi aggiungere la polpa di pomodoro schiacciata con la forchetta, il prezzemolo tritato finemente, e insaporire con il sale e il peperoncino. Far cuocere per 5 minuti, mescolando di tanto in tanto.

A questo punto si aggiungono le seppie e i calamari che cuoceranno per qualche minuto prima di aggiungere i pesci più teneri. Aggiungere anche il brodetto di pesce passato al setaccio per eliminare eventuali spine.

Far cuocere per una ventina di minuti mescolando molto delicatamente per non rompere i pezzi di pesce. Poco prima di spegnere il fuoco, aggiungere le cozze e le vongole insieme al sugo di cottura.

Nel frattempo, tagliare a fette del bel pane casereccio e abbrustolirlo come una bruschetta. La zuppa è pronta per essere gustata…

Come si serve

Servire la zuppa ben calda insieme alle fette di pane, sulle quali si può anche strofinare dell'aglio.

Quanto basta: è una delle indicazioni imprecise su cui abbiamo lavorato nella pagina precedente: un cuoco sa quanto sale basta… Trovi un'altra espressione "imprecisa" nella ricetta degli spaghetti alla scoglio: quale è?
Squamare: togliere le squame, cioè i pezzetti duri e lucenti che coprono la pelle dei pesci.
Pinne: vedi disegno a p. 73.

Interiora: parola usata solo al plurale che significa: l'intestino, il cuore, i polmoni, gli altri organi che sono nell'interno dell'addome.
Pane casereccio: vuol dire "pane fatto in casa", ma parlando di fette di pane casereccio si intende fette di una pagnotta – anche se non è fatta in casa.

RISOTTO DI PESCE

Che cosa serve

500 g di vongole, 500 g di cozze, 300 g di scampi interi, 2 teste di
rana pescatrice, vino bianco, un piccolo soffritto di sedano, carota
e scalogno, olio e burro, 300 g di riso, prezzemolo

Come si prepara

In una padella dai bordi alti scaldare qualche cucchiaio di olio
e uno spicchio di aglio e poi versare le cozze e le vongole dopo
averle lavate accuratamente. Quando sono aperte, sgusciarle tutte
e metterle da parte, gettare i gusci e filtrare il sugo.

Pulire gli scampi crudi. Lessare le teste di rana pescatrice in acqua
a cui si sia aggiunto qualche grano di pepe e una fettina di limone.
Quando sono cotte, (dovranno bollire per una ventina di minuti)
filtrare il brodo e pulire le teste conservando tutta la carne.

In una teglia da risotto fare un soffritto con poco olio, una costa
di sedano, poca carota tritata e uno scalogno tritato. Rosolare gli
scampi a fuoco vivace bagnando con mezzo bicchiere di vino
bianco e quando riprende a bollire aggiungere il riso.

Dopo averlo fatto tostare per qualche minuto, aggiungere un
mestolo di brodo di pesce (a cui si è aggiunto anche il sugo
delle vongole e delle cozze) bollente mescolando delicatamente.
Portare a cottura continuando ad aggiungere il brodo man mano
che questo si asciuga (ci vorranno circa 15 minuti).

Quando il risotto è quasi pronto, aggiungere le vongole, le cozze
e la polpa della rana pescatrice.

Come si serve

Poco prima di servire mantecare il risotto con una noce di burro
e il prezzemolo tritato.

Servire il risotto molto caldo e in piccole porzioni, in modo che ne
rimanga nella terrina da servizio un po' che resti caldo, così chi
vuole il bis lo trova ancora bollente – perché il risotto va mangiato
bello caldo!

Rana pescatrice: non tutti conoscono questo pesce con il nome che
abbiamo usato: è talmente brutto, che si solito il pescivendolo taglia la testa e
vende solo il corpo, cioè la coda di rospo, pesce che è conosciuto e diffuso in
tutt'Italia. In questa ricetta servono proprio le bruttissime teste...
Mantecare: dallo spagnolo *manteca*, cioè "burro", significa passare a fine
cottura con del burro crudo, che si scioglie e unisce, amalgama meglio, il tutto.
Porzione: la quantità di cibo che va nel piatto.

SPAGHETTI ALLO SCOGLIO

*In questa ricetta usiamo una forma diversa, basata sulla prima
persona plurale, per dare l'idea che stiamo preparando insieme
questo piatto.*

Ingredienti

300 g di calamaretti, 300 g di gamberoni o scampi, 1/2 kg di cozze,
1/2 kg di vongole, 1/2 kg di cicale di mare, mezzo bicchiere d'olio
extravergine di oliva, mezzo bicchiere di vino bianco secco, un trito
di aglio e prezzemolo, 2 spicchi di aglio, peperoncino a piacere,
un vasetto di pomodori pelati.

Come si prepara

Scaldiamo l'olio insieme all'aglio e facciamo aprire le cozze
e le vongole, naturalmente dopo averle ben lavate.

In una padella grande e dai bordi alti scaldiamo poco olio,
la polpa di pomodoro, il trito di aglio e prezzemolo, il peperoncino,
sale, pepe e il vino bianco.

Dopo qualche minuto aggiungiamo i calamaretti tagliati a fettine,
i gamberoni o scampi e le cicale di mare, che avremo già sgusciato.

Quando tutto è cotto (basteranno 10-15 minuti) aggiungiamo
il sugo di cottura delle cozze e vongole dopo averlo filtrato
accuratamente. Adesso cuociamo gli spaghetti al dente in
abbondante acqua salata e versiamoli, dopo averli ben scolati,
nella padella con la salsa preparata.

Come si serve

Spadelliamo per asciugare un po' il sugo e infine aggiungiamo
le cozze e le vongole con i loro gusci e portiamo in tavola la nostra
pasta servendola direttamente dalla padella...

E buon appetito!

Trito: un po' di verdura tritata, cioè ridotta in pezzettini molto piccoli, spesso
usando un macinino, ad esempio un tritaprezzemolo, o una mezzaluna –
attrezzi che hai visto nel glossario iniziale.
A piacere: una delle tante indicazioni imprecise su cui abbiamo lavorato nelle
pagine precedenti (ne trovi una anche nella ricetta della zuppa di pesce: quale
è?). Non dice quanto ne serve, è il cuoco che sa quanto metterne, a seconda
dei suoi gusti.
Spadelliamo: cuociamo brevemente in padella.

IL SECONDO DI PESCE

Il pesce è allo stesso tempo semplicissimo e delicatissimo da cuocere: basta lasciarlo in forno o sulla griglia un po' di più del necessario e diventa stopposo, cioè secco e duro; se invece lo cuoci troppo poco rimane un po' viscido, cioè spiacevolmente scivoloso.

Il problema è che non si può dire, come quando si cuoce un hamburger o si bollono gli spaghetti, che devono restare sul fuoco "x" minuti: la durata della cottura del pesce e la forza del fuoco dipendono sia dal tipo di pesce sia dalla grandezza di ogni singolo pesce. Anche per questa ragione quando si comprano pesci bisogna fare attenzione ad acquistarli tutti della stessa misura, in modo che debbano restare sul fuoco per lo stesso numero di minuti.

Le maniere classiche di cuocere il pesce sono:

A. PESCE AL FORNO

è uno dei modi classici di cuocere pesci, soprattutto se sono abbastanza grandi; puoi mettere semplicemente il pesce, oppure accompagnarlo con patate (spesso vanno cotte un po', prima di metterle con il pesce) o con altre verdure;

B. PESCE IN UMIDO

la ricetta presenta dei calamari ripieni, ma puoi cuocere a fuoco lento, con o senza pomodoro e piselli, anche le seppie tagliate a pezzetti, oppure il baccalà ed altri pesci di grandi dimensioni;

C. PESCE FRITTO

si possono cuocere in questo modo solo molluschi, crostacei e pesci di dimensioni piccole o comunque sottili, come le sogliole. Nei ristoranti ti offrono sempre, insieme alla frittura, un mezzo limone, ma secondo i buongustai se il pesce è fresco non è necessario metterci il limone;

D. PESCE BOLLITO

il pesce bollito o "lesso" è delicatissimo, e quindi di solito viene servito con maionese oppure con verdure.

Buongustai: persone che amano mangiare bene e in maniera corretta.

BRANZINO (O SPIGOLA) AL FORNO

Tempo di preparazione: 10 min.
Tempo di cottura: da 20 min. a 40 min. a seconda della grandezza del pesce.

Ingredienti

1 branzino del peso di 1,5 kg oppure 2 branzini da 700 g ciascuno, qualche fettina di limone non trattato, 2 cucchiai di prezzemolo e aglio tritati, qualche cucchiaio d'olio di oliva, sale e pepe, 3 o 4 patate tagliate a fette molto sottili, una ventina di pomodori ciliegini

Come si prepara

Pulite il branzino, lavatelo e asciugatelo.

Tritate il prezzemolo, l'aglio e 2 fettine di limone, e condite con sale e pepe.

Insaporite il pesce in tutta la superficie all'interno e all'esterno con il composto e adagiatelo in una teglia da forno nella quale avete già versato qualche cucchiaio di olio. Tagliate le patate a fettine molto sottili e spargetele sia sopra sia intorno al branzino. Tagliate i pomodorini a metà, eliminate l'acqua e i semi e mescolateli alle patate. Condite ancora con sale, pepe e un filo di olio.

Coprite la teglia con carta da forno e infornate in forno già caldo a 170°, per circa mezz'ora. Il tempo di cottura dipende dalla dimensione del pesce.

Come si serve

Quando è pronto togliete la carta da forno e fate asciugare il sugo per qualche minuto e poi servite il pesce insieme alle patate e ai pomodori che si saranno insaporiti con il sugo del branzino.

Il pesce di solito viene mostrato ai commensali intero; per pulirlo, se nessuno sa farlo bene a tavola, si torna in cucina.

Buon appetito!

Non trattato: i limoni vengono di solito "trattati", cioè ricoperti con sostanze chimiche che facilitano la maturazione anche dopo che sono stati staccati dalla pianta; se usi le scorze del limone, devi sempre chiederlo non trattato.
Ciliegini: sono dei pomodori a grappoli poco più grandi di una ciliegia.

FRITTURA

La frittura è uno dei piatti più noti quando si parla di cucina di pesce, e il procedimento per prepararla è, a parole, molto semplice. In realtà la frittura è difficile da preparare bene e non sempre ci si deve fidare di quella che servono nei ristoranti.

Innanzitutto il pesce deve essere molto fresco e così pure l'olio in cui si frigge (cioè non si deve ri-utilizzare l'olio fritto più volte). Inoltre bisogna scegliere molti tipi di pesce piccolo, o tagliarlo a fette.

Infine l'ordine in cui si frigge il pesce è importante perché certi pesci (ad esempio i calamaretti o le seppioline) "sporcano" l'olio e quindi è meglio friggerli per ultimi. Infine bisogna asciugare il pesce appena estratto dalla padella con carta da cucina e salarlo soltanto dopo qualche minuto altrimenti si imbeve di olio.

Ingredienti

Piccole sogliole, acciughe, sarde, triglie, razza (tagliata a pezzi), calamari (tagliati ad anelli), seppioline, gamberi, scampi, farina di fiore, 1 litro di olio per friggere, sale, limone

Procedimento

Pulire tutti i pesci, tagliarli a rondelle se è necessario, asciugarli con carta da cucina, infarinarli e batterli leggermente.

Nel frattempo su fuoco vivace scaldare l'olio in una padella dai bordi alti (ricordare che l'olio deve essere abbondante!).

Quando l'olio è caldo immergere i pesci, pochi alla volta in un unico strato e lasciarli dorare.

Dopo qualche minuto girarli delicatamente e quando hanno assunto un bel colore dorato raccoglierli con la schiumarola e deporli su un foglio di carta assorbente.

L'ordine, cioè la sequenza, di frittura consigliabile è il seguente: sogliole, triglie, razza (tagliata a pezzi), gamberi, scampi, acciughe, sarde, calamari (tagliati ad anelli), seppioline.

Come si serve

Quando si sono asciugati cospargerli di sale e servirli bollenti con qualche fettina di limone perché alcuni commensali amano spruzzare del succo di limone sulla frittura (ma i buongustai non sono d'accordo sul limone: uccide il sapore del pesce!).

A parole: parlare di fare una cosa è facile, ma fare in realtà quella cosa è difficile.
Così pure: anche.
A rondelle: ad anelli.
Schiumarola: un mestolo con dei buchi che lasciano cadere l'olio.
Buongustai: persone che sono molto attente alla qualità del cibo e amano mangiare bene.
Uccide: copre, mette in ombra.

CALAMARI RIPIENI

Ingredienti

10 calamari, un trito di aglio, prezzemolo e poca buccia di limone (in italiano si chiama "gramolata"), qualche cucchiaio di pangrattato, qualche pomodoro pelato, olio extravergine di oliva, sale e pepe, mezzo bicchiere di vino bianco secco

Procedimento

Pulire i calamari, eliminando gli occhi, la bocca, il rostro e le interiora. Separare i tentacoli dalle pance.

Tritare bene i tentacoli e mescolarli alla gramolata e al pangrattato e condire l'amalgama con poco olio, sale e pepe.

Asciugare bene i calamari e riempirli con questo ripieno.

Utilizzare uno stuzzicadenti di legno per chiudere le pance in modo che cuocendo non si svuotino.

In una casseruola scaldare poco olio, sistemare i calamari in un solo strato e cospargerli dei pomodori pelati tagliati a pezzetti.

Quando tutto è ben caldo sfumare con il vino e far cuocere poi a fuoco medio per circa 45 minuti, girando i calamari, uno alla volta, di tanto in tanto.

Come si servono

Servire i calamari caldi o tiepidi nella teglia di cottura con il loro sugo.

Trito: un po' di verdure o odori tritati, cioè tagliati in piccolissimi pezzi con un macinino (il tritaprezzemolo serve anche per l'aglio) o con una mezzaluna, attrezzi che hai visto nel glossario all'inizio del libro.
Pangrattato: pane secco grattugiato, cioè grattato sulla grattugia.
Rostro: è il dente, a forma di becco di pappagallo, dei cefalopodi.
Stuzzicadenti: bastoncino di legno usato per togliere dai denti pezzetti di cibo; serve anche per bloccare involtini e altri cibi che non si devono aprire durante la cottura.

LA CUCINA NELLA LETTERATURA

"LU PISCI SPADA" DI DOMENICO MODUGNO

Domenico Modugno è il primo grande cantautore italiano, e nel 1957 ha scritto questa canzone – che solo lui poteva interpretare, perché la trasformava in una scena teatrale drammatica, tragica.

Ti sarà difficile mangiare un pesce spada se hai sentito questa canzone, che pur parlando di due pesci è una delle più belle canzoni d'amore mai scritte... La scena descrive una *mattanza*, cioè il momento in cui un gruppo di pesci spada o di tonni viene circondato dalle reti e i pescatori, sulle barche, li uccidono con fiocine e arpioni, cioè delle specie di lance o lunghe spade con un gancio in fondo.

La canzone è scritta in siciliano, anche se Modugno era pugliese.

Chist'è 'na storia
d'un pisci spada
storia d'amuri...

Dai e dai lu vitti lu vitti lu vitti
pigghia la fiocina accidilu accidilu accidilu...

Te pigghiaru 'a la fimminedda
drittu drittu 'ntra lu cori
e chiancìa di duluri ahi ahi ahi ahi ahi ahi ahi
e la varca la strascinava e lu sangu ni currìa
e lu masculu chiancìa ahi ahi ahi ahi ahi ahi ahi
e lu masculu parìa 'mpazzutu
mi dicia "bedda mia nun chiancìri
bedda nun chiancìri
dimmi tia c'haju a fari...?"
Rispunnia la fimminedda
ccu nnu filu e filu 'i vuci
"scappa, scappa, amuri miu
'ca sinò t'accidunu..."
"No no no no no amuri miu
si tu mori vogghiu murìri 'nzemi a tia
si tu mori, amuri miu, vogghiu murìri..."
Ccu nu saltu si truvàu ccu issa
'ncucchiu 'ncucchiu cori a cori
E accussì finìu l'amuri
di du' pisci sfurtunati...
Dai e dai lu vitti lu vitti lu vitti
c'è puru lu masculu
pigghia la fiocina accidilu accidilu ahhh...

Chist'è 'na storia
d'un pisci spada
storia d'amuri.

Questa è la storia
Di un pesce spada,
storia d'amore...
(Qui parlano i pescatori:)
Dai, dai, è lì, l'ho visto, l'ho visto...
prendi la fiocina, uccidilo, uccidilo, uccidilo.
(Riprende la storia:)
Hanno colpito la tua femmina
dritto dritto in mezzo al cuore
e piangeva di dolore ahi ahi ahi ahi ahi ahi ahi
e la barca la trascinava ed il sangue scorreva
ed il maschio piangeva ahi ahi ahi ahi ahi ahi ahi
ed il maschio pareva impazzito
e diceva: "bella mia non piangere,
bella mia non piangere,
dimmi cosa devo fare...?"
Rispondeva la femmina
con un filo, un filo di voce:
"scappa, scappa, amore mio
perché altrimenti ti uccidono..."
"No no no no no amore mio
se tu muori voglio morire insieme a te
se tu muori, amore mio, voglio morire..."
Con un salto si trovò con lei
vicino vicino, abbracciato cuore a cuore.
E così ebbe fine l'amore
di due pesci sfortunati...
Dai, dai è lì, l'ho visto, l'ho visto
c'è anche il maschio
prendi la fiocina, uccidilo uccidilo uccidilo

Questa è la storia
di un pesce spada,
storia d'amore.

ESERCIZI DI RIEPILOGO

1. IL PESCE SPADA

Iniziamo gli esercizi dall'ultima pagina del modulo – così hai di fronte il testo e puoi lavorare più facilmente.

a. quando si legge un testo bisogna farne sempre la "carta di identità": sono notizie facili da trovare, ma serve prendere l'abitudine:

- titolo originale: _____

- autore: _____

- anno della composizione: _____

- lingua dell'originale: _____

- lingua materna dell'autore, oltre all'italiano: _____

b. questa è una canzone "teatrale", con tante voci:

- c'è un narratore, la persona che racconta ("narra") la storia. Questo narratore ha anche una funzione particolare, che non
  si trova di solito nelle canzoni: sono due strofe di tre versi; hai trovato qualcosa di simile in altre canzoni?
  _____

- c'è un gruppo di persone, _____, i quali _____

- ci sono i due protagonisti: _____ ;
  essendo pesci, non dovrebbero parlare: nella canzone ti sembra strano che lo facciano? _____
  _____

c. la lingua è importante: l'uso del dialetto fa di questo testo "banale" una storia vera, reale, dura. Dopo aver letto la versione
   italiana, riesci a leggere il testo originale?

   Se puoi, cerca su internet la canzone o chiedi a qualcuno se ha il disco: sentirai come un grande cantautore trasforma
   queste parole semplici e questa storia semplice in una cosa meravigliosa, che ti farà piangere... perché tutti piangono
   ascoltando *Lu pescispada*!

2. COMPLETA QUESTO TESTO DELLE PARTI MANCANTI

L'_____ è un Paese mediterraneo, legato al _____, e quindi la cucina di pesce è
fondamentale; nel cuore della pianura _____, e nelle città dell'interno della penisola, una volta
_____ c'era tradizione di pesce, perché il mare era _____; ma oggi i trasporti sono
_____ e quindi anche nelle città della _____ e dell'interno si diffonde sempre più l'abitudine
di _____ pesce di mare – oltre a quello di fiume o di lago.
Come in tutta la cucina _____, le differenze _____ sono enormi – e sono differenze che si
trovano anche nella _____ usata per parlare del _____: il "branzino" dell'Adriatico e la
"_____" del Tirreno sono lo stesso pesce, come anche le "alici" e le "_____". E poi ci sono
i nomi legati ai dialetti, che _____ italianizzati e si diffondono in tutt'_____.

ESERCIZI DI RIEPILOGO

3. ANIMALI DI MARE

Completa queste descrizioni:

a. **molluschi**: vivono sul _____ del mare o attaccati agli scogli e sono protetti da due

_____, che bisogna aprire per poter mangiare il "muscolo";

b. **crostacei**: hanno un _____ esterno abbastanza duro e delle zampette con cui si

muovono sul _____ del mare o tra gli _____; gli arti terminano con

delle tenaglie taglienti con le quali i crostacei si difendono che si chiamano _____;

c. **cefalopodi**: la parola significa che la _____ ("*cefalo*") e i _____

("*podi*") sono uniti, come nei polpi, nei calamari, nelle seppie. Hanno otto zampe, dette

_____;

d. **pesci**: hanno un corpo lungo, con uno scheletro che si chiama _____; per nuotare

si spingono con la _____ e cambiano direzione usando le _____

che hanno sui fianchi e sopra il corpo.

4. I PIATTI DI PESCE

Descrivi con parole tue questi diversi modi di preparare il pesce:

a. **la zuppa**: _____   e. **cottura al forno**: _____

_____   _____

b. **la pasta**: _____   f. **pesce in umido**: _____

_____   _____

c. **il pasticcio di pesce**: _____   g. **pesce fritto** _____

_____   _____

d. **il risotto di pesce**: _____   h. **pesce bollito** _____

_____   _____

I CONTORNI

La dieta mediterranea si basa sui cereali (pasta, pane, pizza, fatti con farina di grano, riso, polenta di mais) e verdure – e come in tutto il Mediterraneo le verdure del Centro-Sud e delle Isole sono eccellenti.

La pianura del Nord ha un clima meno adatto alle verdure, soprattutto a quelle solari, colorate, come i peperoni e i pomodori. Al Nord si coltivano tuttavia ottimi asparagi, zucche, zucchini, cavoli; sulle Alpi e gli Appennini infine si raccolgono molte varietà di funghi.

Oltre a consumare le verdure crude, in insalata, gli italiani amano molto le verdure cotte, che possono essere alla griglia, cioè cotte sulle braci o su una piastra, oppure al forno, spesso ripiene con riso, carne, formaggio, come vedremo nelle ricette di questo modulo.

In un pasto italiano le verdure non vengono presentate all'inizio, come in molte nazioni europee e americane, ma come contorno al secondo piatto di carne o pesce; oppure, oggi, anziché servire da contorno possono sostituire il secondo di carne o pesce. Sempre più spesso ci sono poi dei ristoranti in cui c'è il buffet di verdure: mentre il primo o il secondo vengono ordinati al cameriere, per le verdure ci si serve da soli scegliendo tra le mille meraviglie dei contorni italiani.

VERDURE CRUDE E COTTE

Nei moduli precedenti hai incontrato molti nomi di verdure e ne hai trovato le foto; facciamo qui una rapida sintesi, dicendo anche come si cucinano.

Pomodoro: originario del Messico, cotto o crudo è oggi alla base di molta cucina italiana.

Spinaci: di solito sono bolliti, ma le fogliette giovani possono essere mangiate in insalata insieme a delle scagliette di formaggio parmigiano.

Peperoni: di solito si mangiano alla griglia, ripieni, o in una peperonata, ma si possono anche mangiare crudi.

Carciofo: va mangiato cotto.

Finocchio: può essere mangiato crudo, in insalata, o cotto al forno con olio o burro e formaggio.

Radicchio rosso di Treviso: amaro, può essere mangiato in insalata oppure cotto al forno, alla griglia, o ancora può servire come base per un sugo per la pasta o per un risotto.

Carote: fondamentali per molti sughi, possono essere lessate se sono piccole, o grattugiate per un'insalata mista.

Un "cespo" di sedano: composto da tante "gambe" o "coste", cioè le singole foglie; fondamentale per i soffritti, la parte bianca delle coste si mangia anche cruda.

Cipolla: è essenziale per i soffritti e per molte carni cotte; quella di Tropea, rosso-viola, è ottima anche cruda. Simili alla cipolla, ma bianchi, piccoli e allungati, sono i cipollotti ed i porri.

Zucca: serve per fare risotti, per riempire tortellini, ma in agrodolce è un ottimo contorno.

Pannocchie di mais o granturco: con la loro farina si fa la polenta.

Melanzane: si mangiano cotte alla griglia, oppure con i peperoni nella peperonata, o facendone un pasticcio con formaggio e mozzarella.

Patate: originaria del Messico, la patata è la base dei contorni di mezzo mondo; può essere fritta, arrostita, lessa, o schiacciata in un purè.

Piselli: vanno cotti, sono tra i contorni verdi più diffusi.

Asparagi: possono essere verdi, come questi, ma anche bianchi, soprattutto nel Veneto. Si mangiano lessati, serviti insieme a delle uova in camicia.

Fagiolini: vanno cotti, sono tra i contorni verdi più diffusi.

VERDURE ALLA GRIGLIA

Anzitutto: qui usiamo una griglia messa su delle braci, ma molto simile è la cottura delle verdure su una piastra messa sul gas o, comunque, molto calda; si può usare anche una lastra di pietra (chiamata "pietra ollare"), che messa sul camino si scalda e poi cuoce molto delicatamente le verdure.

In secondo luogo: qui suggeriamo alcune verdure, ma si possono scegliere altre verdure, sempre tenendo conto della differenza nei tempi di cottura.

Che cosa serve

Per 4 persone: 1 melanzana grossa o due piccole, 1 cipolla, se possibile rossa "di Tropea", 2 zucchine grosse o 4 piccole 1 peperone rosso o giallo, una decina di pomodorini a ciliegia, vino bianco, o birra, o acqua con un po' di dado, sale, olio d'oliva

odori: fondamentali il rosmarino, l'origano oppure la maggiorana; molto utili anche timo e menta.

Come si prepara

Anzitutto, in una zuppiera o un contenitore di plastica, si mette mezza bottiglia di vino bianco (o una bottiglietta di birra o, se non si vuole alcol, 300 g di brodo di dado), due cucchiai di sale, le erbette tagliate fini con una forbice e due o tre cucchiai d'olio.

Poi si affettano le verdure e le fette vengono messe per un'ora o due dentro la zuppiera con gli odori, il vino e il sale:

- le cipolle vanno tagliate in fette circolari, poiché sono composte di tanti anelli conviene depositarle sul fondo del contenitore per prime, così non si aprono.
- le melanzane vanno tagliate in fette di 1,5-2 centimetri, belle grosse così non si seccano sulla griglia;
- le zucchine vanno tagliate per il lungo, a metà se sono piccole, o in quattro strisce se sono grosse;
- i peperoni si tagliano in strisce per il lungo, e si schiacciano un po' dove hanno una parte curva, alla fine, in modo che poi si appoggino bene sulla griglia;
- i pomodorini si tagliano a metà per il lungo, in modo che conservino un po' del loro succo.

Scaldata la piastra o messa la griglia sulle braci (non troppo forti), si mettono per primi peperoni e cipolle, che richiedono più tempo di cottura; dopo 5 minuti si girano, e si aggiungono le altre verdure. Ogni 2-3 minuti si bagnano con un po' di salamoia, usando il cucchiaio in modo che le erbette e il sale le insaporiscano e le sporchino, un po' di olio così non si attaccano, e poi si girano.

Come si servono

Quando sono cotte (le zucchine di solito sono le prime, poi le melanzane e i pomodorini) si appoggiano su un piatto di portata e le si bagna bene di olio; servire le verdure tiepide, non calde.

L'insalata: (a foglia larga, o con fogliette piccole, spesso mescolata con rucola) è la base del contorno crudo; qui vedi un'insalata particolare, il radicchio di Bassano (nel nord del Veneto), caratteristico per le sue macchiette rosse.

Zucchino: lesso, ripieno, o usato con carni o pesci, è molto diffuso; qui lo vedi con il suo fiore, che viene fritto dopo essere stato impastellato.

VERDURE RIPIENE

Le verdure ripiene sono spesso insieme secondo e contorno.

Il principio è molto semplice:

- si prende una verdura abbastanza grossa (peperoni, pomodori, zucchine, melanzane, ad esempio),
- si toglie la polpa centrale con i semi,
- al suo posto si mette un ripieno, che può essere di carne tritata, di formaggi o di riso con pezzetti di carne o di altra verdura,
- si cuoce al forno o in tegame.

Non solo ogni regione, ma ogni famiglia ha le sue abitudini riguardo alle verdure ripiene, perché in realtà questo tipo di piatto si presta a mille invenzioni.

1. CLASSIFICHIAMO LE VERDURE

Per ripassare i nomi delle verdure – non solo quelle usate per i contorni – è utile classificarle, dividerle per categorie, in modo che la nostra mente ricordi i nomi inserendoli dentro le categorie giuste. Alcune verdure possono comparire più volte.

a. **Colore:**
- blu-viola: ....
- giallo-oro: ....
- bianco: ....
- verde: ....
- rosso: ....
- beige, marrone: ....

b. **Parte della pianta**
- radice o comunque parte che sta sotto terra:
  ....
- tronco, stelo, gambo, parte che unisce la radice alle foglie:
  ....
  ....
- foglia:
  ....
  ....
- frutto:
  ....
  ....
- fiore:
  ....
  ....

c. **Cottura:**
- solo crude:
  ....
  ....
- solo cotte:
  ....
  ....
- crude e cotte:
  ....
  ....

PEPERONI RIPIENI AL FORNO

Ingredienti

Queste dosi sono per 4 peperoni rossi e gialli di forma regolare

Servono per il ripieno,

1/2 kg di carne macinata mista (di maiale, manzo e vitello), 2 salsicce, 1 uovo, qualche cucchiaiata di parmigiano e pecorino grattugiati mescolati, 1 spicchio di aglio, 1 cucchiaio di odori tritati (prezzemolo, origano, timo), 2 fette di pan carrè (o un piccolo panino) imbevuto nel latte e poi strizzato, sale e pepe

Servono per cuocere

qualche cucchiaio di olio extravergine di oliva, 1 bicchiere di vino bianco secco

Preparazione

Lavare i peperoni e aprirli in due metà verticalmente.

Svuotarle dei semi, asciugare l'interno con carta da cucina e disporle su una teglia da forno o sulla leccarda una accanto all'altra in un unico strato.

Nel frattempo in una terrina mescolare la carne macinata con le salsicce, l'uovo e tutti gli altri ingredienti avendo cura che si amalgamino bene.

Riempire con la carne i peperoni, e una volta che siano tutti ripieni e disposti sulla leccarda versarvi sopra un filo di olio e qualche spruzzata di vino. Mettere a cuocere in forno, già preriscaldato a 170°, per 40 minuti circa, continuando a bagnare con il vino bianco e con il fondo di cottura.

Come si servono

Quando i peperoni sono cotti, lasciarli intiepidire e poi servirli.

Se si servono insieme a del riso bollito possono costituire un delizioso piatto unico per una sera d'estate.

Carta da cucina: è carta che assorbe molto; si possono usare rotoli di scottex.
Leccarda: parola che di usa molto poco ma che ha un significato preciso: è quella specie di ripiano di metallo, con i bordi un po' rialzati come un tegame, che si trova dentro al forno.
Amalgamino: mescolino.
Fondo di cottura: il sugo che si forma sul fondo del tegame o della leccarda.

POMODORI GRATINATI

Che cosa serve

10 pomodori tondi di grandezza media, maturi ma sodi, 200 g di pane grattugiato, 1 mazzetto di prezzemolo, una presa di origano 1 spicchio d'aglio, 2 cucchiaiate di parmigiano grattugiato, olio extra vergine d'oliva, sale e pepe

Come si preparano

Tagliare a metà, orizzontalmente, i pomodori ben lavati.

Privarli dei semi e salarli leggermente, poi disporli in modo che scolino l'acqua di vegetazione.

Nel frattempo mescolare il pane e il parmigiano grattugiati, l'aglio e il prezzemolo tritati, il sale, il pepe e l'olio di oliva.

Amalgamare bene il composto e poi riempire con esso ogni pomodoro.

Disporre i pomodori in una teglia da forno in un unico strato e irrorare con un filo di olio d'oliva ogni pomodoro. Infornare, preriscaldando, a 180° e cuocere per circa 30 minuti, finché i pomodori non saranno ben gratinati e dorati.

Come si servono

Questi pomodori sono buoni sia caldi sia tiepidi o freddi, insieme a della carne arrosto o a polpette fritte o altri tipi di secondi piatti.

Sodi: ancora duri, non morbidi.
Presa: parola che si usa per indicare una piccola quantità, quella che si prende con due dita, di spezie tritate.
L'acqua di vegetazione: l'acqua contenuta nei pomodori (o nelle melanzane, le zucchine, ecc.): mettendo un po' di sale e mettendo questi frutti in modo che possano scolare, perdono acqua e quindi risultano poi più sodi, meno acquosi.
Gratinati: produrre una crostina dorata e croccante sulla parte alta dove è stato spruzzato il pangrattato, il parmigiano, il trito di odori.

ZUCCHINE RIPIENE ALLA RICOTTA

Che cosa serve

10 zucchine non molto grandi, meglio se si trovano quelle rotonde, 400 g di ricotta fresca, 4 cucchiaiate di parmigiano grattugiato, sale e pepe, un trito di erba cipollina, dragoncello, prezzemolo oppure basilico, 1 uovo, olio extravergine di oliva

Come si procede

Spuntare le zucchine, lavarle, tagliarle a metà nel senso della lunghezze e svuotarle dei semi.

Disporle in un unico strato su una teglia da forno una accanto all'altra, come nella foto.

Nel frattempo mescolare la ricotta con il parmigiano, l'uovo, il sale e pepe e le erbe odorose. Quando si è ottenuta una crema omogenea, riempire con una certa generosità le zucchine.

Deporle nella teglia, irrorare di olio e mettere a cuocere in forno preriscaldato a 170° per circa 25/30 minuti.

Come si servono

Queste zucchine si servono tiepide o fredde, possono costituire un secondo oppure far bella figura in una cena in piedi, d'estate.

Di solito piacciono anche alle persone che non amano particolarmente le zucchine.

Procede: si fa.
Spuntare: togliere la punta, dove c'è l'attacco duro al gambo e dove inizia il fiore.
Omogenea: ben mescolata, dove tutti gli ingredienti sono amalgamati, uniti bene.
Generosità: abbondanza.

FUNGHI

I funghi si amano o si odiano, di solito non esistono atteggiamenti indifferenti. Per gli amanti dei funghi, ci sono pochi cibi altrettanto buoni.

I funghi nascono di solito nei boschi in collina e montagna e richiedono un clima molto umido; in molti Paesi sono apprezzati i funghi fatti crescere in serra, gli *champignon*, ma in Italia si preferiscono quelli di bosco.

In Italia è vietato raccogliere funghi se non si ha un patentino speciale, che attesta che quella persona sa riconoscere i funghi commestibili e quindi non raccoglie funghi tossici, cioè velenosi; in ogni regione anche la quantità di funghi che si può raccogliere in una giornata è regolata dalle leggi locali, perché si vuole evitare che si raccolgano troppi funghi facendoli sparire poi dai boschi.

Dopo che sono stati raccolti i funghi devono essere messi in un cesto, non in un sacchetto di plastica, perché dopo essere stato raccolto il fungo lascia cadere le sue spore, che sono una specie di seme e che possono passare tra i buchi del cesto, spargendosi in giro.

Se tra i funghi raccolti ce n'è anche uno solo non commestibile, tutto il raccolto di quella giornata viene sequestrato dalle guardie forestali e chi li ha raccolti paga una multa salata.

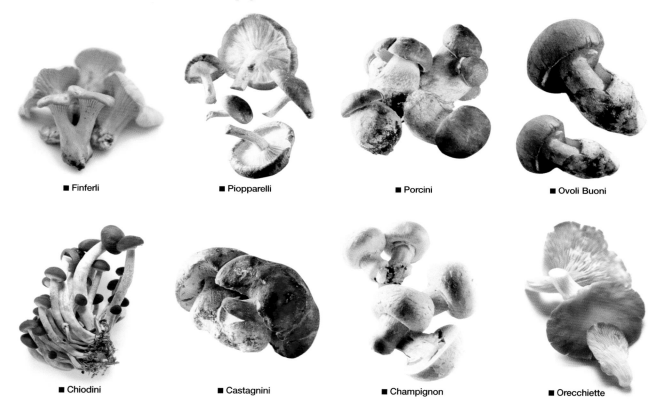

■ Finferli   ■ Piopparelli   ■ Porcini   ■ Ovoli Buoni

■ Chiodini   ■ Castagnini   ■ Champignon   ■ Orecchiette

Serra: piccola "casetta" di vetro o plastica dove la temperatura è più alta che fuori, in modo che le verdure maturino prima.
Patentino: un documento (una "patente") che dichiara che una persona ha una competenza, in questo caso dichiara che sa riconoscere i funghi che si possono mangiare.
Attesta: dichiara.
Commestibili: che si possono mangiare.

Sequestrato: tolto, portato via.
Guardie forestali: la polizia che si occupa dei boschi.
Multa salata: una multa è una somma di denaro che si paga alla polizia quando si è fatto qualcosa di male (si è andati a funghi senza conoscerli, in questo caso); una multa è "salata" quando è alta, quando viene a costare molto.

1. INDOVINA IL FRUTTO

Spesso non si sa una parola, quindi si descrive l'oggetto.
Eccoti una descrizione di alcune verdure: inserisci i nomi
giusti nel cruciverba.

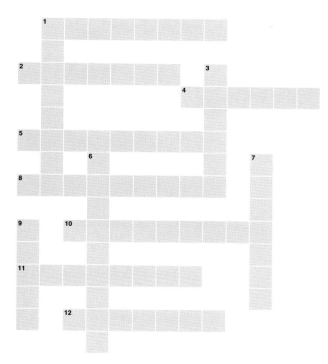

ORIZZONTALI

1. Frutto rotondo, rosso, usato per fare sughi e ragù.
2. Foglie verdi, che vengono bollite ed hanno un sapore un po' amaro.
4. Viene dall'America, nasce sotto terra, si usa in mille modi, sempre cotta.
5. Erbetta con foglie strette e lunghe, va negli arrosti.
8. Frutto viola-nero, spesso abbastanza grande, deve essere cotto.
10. È quasi una radice, è bianco, composto di tante foglie croccanti; può essere cotto.
11. È un "fiore" con tanti "petali" verdi-viola; va cotto e si mangiano i petali o foglie uno a uno.
12. Piccoli semi verdi che stanno dentro un lungo frutto verde; vanno tolti dal frutto e bolliti.

VERTICALI

1. Grosso frutto rosso, giallo o verde, va svuotato dei semi e può essere mangiato crudo, cotto o ripieno.
3. Radice arancione, può essere mangiata cruda oppure cotta; si usa in molti sughi.
6. È un'insalata particolare, che viene dal Veneto ed è rosso-viola.
7. Radice bianca o viola, composta di tanti strati, ha un sapore molto forte e viene usata in molti ragù e sughi.
9. Grosso frutto con tanta polpa gialla e dei grossi semi all'interno. Va mangiata cotta.

FUNGHI PORCINI TRIFOLATI

Che cosa serve

1 kg di funghi porcini, 2 spicchi di aglio, un mazzetto di prezzemolo
1 noce di burro, olio extravergine di oliva, sale e pepe

Come si preparano

Pulire i funghi, ricordando che non si devono bagnare troppo
altrimenti si imbibiscono di acqua, quindi è meglio utilizzare
soltanto un panno umido per eliminare la polvere e il terriccio.

Dopo averli puliti, tagliare i funghi a fettine.

Mettere in un tegame l'olio, il burro, lo spicchio d'aglio.

Non appena l'aglio imbiondisce toglierlo e mettere i funghi, il sale
e il pepe.

Coprire il tegame per 10 minuti circa, poi scoprirlo e mescolare,
quindi far cuocere per una ventina di minuti ancora.

Poco prima di spegnere aggiungere il prezzemolo e l'aglio tritati
assieme e mescolare bene.

Come si servono

I funghi preparati in questo modo possono servire per condire
delle tagliatelle all'uovo, oppure come contorno per un piatto
di carne.

In montagna, nell'Italia settentrionale, nei ristoranti si serve
spesso un piatto costituito da formaggio cotto sulla piastra
o sulla griglia, porcini trifolati e polenta. E questo piatto è
considerato una vera leccornia.

Si imbibiscono: parola rara che in questo contesto è però giusta: significa
che assorbono molta acqua e la trattengono al loro interno.
Terriccio: pezzetti di terra rimasti attaccati alla verdura.
Leccornia: un piatto squisito, buonissimo, da "leccarsi i baffi", come si dice.

I BAFFI

Nelle note della ricetta qui a fianco trovi un'espressione
che si usa spesso per indicare un piatto stupendo:
è un piatto da leccarsi i baffi!
C'è un'altra espressione che riguarda i baffi. Se uno si sta
divertendo ma non lo vuol far vedere, si dice che
ride sotto i baffi!

LA CUCINA NELLA LETTERATURA

MATTIO AL MERCATO DI VENEZIA SETTECENTESCA

Dal romanzo storico di Sebastiano Vassalli *Marco e Mattio*, Einaudi, 1992.

Sebastiano Vassalli (Genova, 1941) è uno dei grandi intellettuali italiani che fanno interagire storia, antropologia e letteratura. Nel suo romanzo *Marco e Mattio* racconta la storia di un povero montanaro, di quelli che avevano una alimentazione basata sulla polenta che, per mancanza di vitamine, li portava lentamente alla "pazzia". Mattio Lovat, personaggio realmente esistito, si auto-crocifisse nell'"ospedale dei matti" in un'isola della laguna di Venezia, nel 1806.

In questa scena vediamo Mattio che va a Venezia per la prima volta e arriva al mercato di Rialto, dove scopre la ricchezza, la bellezza e la varietà di cibi che nelle sue Alpi non si potevano neppure immaginare. La meraviglia di Mattio è indicata dagli elenchi di quelle verdure che per lui sono "da favola", così come i nomi magici delle terre lontane da cui arrivano quei frutti...

■ Sebastiano Vassalli

Il suo è un viaggio incantato tra miracoli che per noi sono diventati un'abitudine quotidiana, perdendo ogni magia.

Lasciati prendere dalla magia dei nomi, anche se in alcuni casi non sai quale frutto o verdura indichino: neanche Mattio ne conosceva il sapore, la natura, il nome!

Rialto, all'epoca della nostra storia, era il ventre di Venezia, il suo mercato di generi alimentari, e il nostro montanaro, per la prima volta dacché era al mondo, vide con i suoi occhi l'abbondanza: quel paese della Cuccagna, di cui parlano le favole, era lì!

Ci entrò passando attraverso montagne di frutti dai colori abbaglianti – i colori, appunto, dei frutti delle favole – che erano le arance e i mandarini e i limoni e i cedri dell'Aranceria; proseguì tra i mucchi degli spinaci, dei radicchi, delle cipolline, dei cavoli, delle zucche, di tutte le verdure dell'Erberia che venivano dalle serre e dagli orti [della laguna], e poi ancora continuò a camminare tra i banchi delle primizie che venivano dalla Puglia e dalle isole greche: lattughe, cardi, piselli, ravanelli, fave, fragole... [Passò] tra le casse e i sacchi della frutta secca e della frutta candita: i fichi di Samo, le noci di Cappadocia, le mandorle dell'Illiria e della Tessaglia, l'uva passa di Corfù e delle isole dell'Egeo, lo zibibbo di Cipro e di Pantelleria, i datteri della Cirenaica...

Procedeva guardandosi intorno con gli occhi spalancati, senza nemmeno chiedersi dove stesse andando [...], tra i mastelli di olive in salamoia, di tante diverse qualità e grossezze, quante Mattio non avrebbe mai creduto che esistessero al mondo, se non le avesse viste con i suoi occhi; tra le tinozze dei sottaceti e delle mostarde... Avanti, avanti: tra i sacchi bene allineate dei fagioli, dei ceci, dei lupini, delle fave, delle lenticchie, delle carrube, delle castagne secche; avanti ancora, in mezzo ai sacchi delle farine e a quelle dei grani – riso, grano, granoturco e grano saraceno, miglio, senape...

Ventre: il punto centrale, la pancia.
Dacché: da quando.
Paese della Cuccagna: paese favoloso in cui tutto cresce in abbondanza.
Aranceria: parte del mercato dove ci sono gli agrumi (arance, limoni, ecc.).
Erberia: parte del mercato dove ci sono le verdure.
Serra: bassa costruzione di vetro dove la temperatura è alta e le verdure crescono in anticipo.
Primizia: verdura o frutta che arriva in anticipo rispetto a quella locale perché viene dal Sud.
Samo, ecc.: sono luoghi mitici per Mattio, ma in gran parte luoghi legati a Venezia: Samo è un'isola Greca, la Cappadocia è in Turchia, l'Illiria è tra Croazia e Albania, la Tessaglia è tra Grecia e Bulgaria, Corfù è un'isola greca

nell'Adriatico (l'Egeo è il mare di Atene), Pantelleria è un'isola siciliana, la Cirenaica è in Libia.
Zibibbo: vino dolce.
Dattero: il frutto dolcissimo della palma.
Spalancati: molto aperti, sorpresi.
Mastelli: grandi secchi di legno.
Salamoia: acqua e sale.
Tinozze: grandi secchi di legno.
Granoturco, grano saraceno: mais e grano scuro; nota come i nomi ("turco", "saraceno" che significa "turco, arabo") diano un'aria di magia esotica a questi normali prodotti.

PER FINIRE: FORMAGGI, DOLCI, CAFFÈ E DIGESTIVO

Ci sono culture che considerano importante bere in compagnia: molto tempo per gli aperitivi e i cocktail, un po' di tempo a tavola, e poi si ritorna a bere seduti in poltrona, in terrazza e così via; la cultura italiana invece mette al primo posto lo stare a tavola insieme: dopo un breve aperitivo, un lungo pasto e, se possibile, un lungo, lunghissimo "dopo tavola": formaggi, frutta, dolci, vino dolce, caffè, liquori.

Talvolta ci si sposta in poltrona, ma spesso si resta a tavola, a chiacchierare, ridere, discutere – ogni problema si risolve con un "bicchierino" (parola che indica un bicchiere piccolo con liquore) o con l'"ammazza caffè" (cioè un liquore preso dopo il caffè, spesso versato nella tazzina dove è rimasto un po' di sapore di caffè).

Non parleremo in questo modulo della frutta: non c'è nulla di particolare, se non il fatto che il sole italiano la rende buona. Ma oggi non puoi essere sicuro di mangiare frutta italiana a meno che tu non scelga frutta di stagione: altrimenti, è frutta che viene dal Cile, dal Sud Africa, dall'Australia, da Israele.

Parleremo invece di formaggi, di caffè e di liquori, dove ci sono elementi originali della cultura italiana.

FORMAGGI

In passato un "buon formaggio" era sinonimo di "un formaggio francese". Oggi no: i formaggi italiani hanno guadagnato un posto d'onore accanto a quelli francesi, sia come varietà sia come qualità. E poi ci sono almeno due formaggi italiani che non hanno concorrenti: il parmigiano e la mozzarella – quelli originali, naturalmente, perché ci sono moltissime produzioni che non sono *Doc*, cioè a "Denominazione d'Origine Controllata", in cui il nome ("denominazione", nella lingua burocratica) è legato alla produzione nella zona tradizionale. Ad esempio, il "parmigiano-reggiano" è solo il grana prodotto in quella zona dell'Emilia: ci sono tanti altri tipi di "grana", anche molto buoni, ma il grana di Parma e Reggio è quello *Doc*. Allo stesso modo, la "mozzarella di bufala" può venire solo dalle tre aree del Centro Italia in cui vivono le bufale.

Nelle foto vedi alcune fette di formaggi invecchiati, che non hanno nulla di diverso, nel modo di produzione e conservazione, rispetto ai formaggi invecchiati di altri paesi; ci sono invece alcuni dettagli particolari nei formaggi freschi e in quelli fermentati.

FORMAGGI FRESCHI

Si tratta di formaggi, come dice il nome, non fermentati, non invecchiati.

Il più tipico formaggio fresco del Sud è la mozzarella. In commercio trovi anche buona mozzarella di latte di mucca, ma per i meridionali se si dice "mozzarella" si intende "mozzarella di bufala", che puoi mangiare da sola, oppure condita con un po' di olio d'oliva e profumi – origano, basilico, o anche peperoncino (in Calabria). Trovare la mozzarella perfetta è difficile: va mangiata entro

24 ore dalla produzione – fortunatamente gli aerei e i trasporti veloci stanno facendo conoscere questa delizia a molti Paesi d'Europa.

Mozzarelline, pomodorini e basilico sono spesso usati per condire la pasta in estate.

Nella pianura del Nord invece formaggi freschi tipici sono la crescenza e lo stracchino (che ha molte varietà e molti nomi): è un formaggio morbido che puoi spalmare sul pane, su una piadina, ma viene anche utilizzato in pasticci e verdure ripiene.

Ci sono molti altri formaggi freschi, che spesso vengono conservati sott'olio insieme ad erbe aromatiche.

"VA MANGIATA"

Il verbo *andare* in forme come questa non ha niente a che fare con i verbi di movimento. Significa *dovere + essere*. Quindi la frase "va mangiata" significa "deve essere mangiata".

Riscrivi queste espressioni usando *andare*:
il parmigiano deve essere fatto in Emilia:

----

lo stracchino deve essere spalmato:

■ gorgonzola e sedano

■ grana e marmellata di fichi

FORMAGGI FERMENTATI

Il gorgonzola che vedi in questa foto è certamente brutto da vedere, con tutta la sua muffa verdastra, e poco adatto a chi ha problemi di colesterolo – ma è una delizia! E poi se lo mangi su una costa di sedano, puoi avere l'illusione che sia meno pesante...

Il formaggio grasso e fermentato è più diffuso al Nord, dove il latte è di mucca, che al Centro e al Sud dove si usa di più il latte di pecora e di capra – anche se il pecorino morbido del Centro Italia non è imitabile, come non lo sono parmigiano e mozzarelle.

Questi formaggi sono di solito mangiati come antipasto o, più spesso, come dessert, alla conclusione del pasto: nel Nord si dice che *la bocca non è stracca*, cioè "stanca", *se non sa di vacca*, se non ha il sapore del latte di *mucca*.

FORMAGGIO E...

Nella foto vedi delle scaglie di grana, un vasetto di marmellata, dei chicchi d'uva: sempre più spesso in Italia si riscopre la tradizione di accompagnare il formaggio saporito, invecchiato, con marmellata o miele.

C'è poi una tradizione particolare: il grana con una goccia di aceto balsamico. Se ben ricordi, il miglior grana viene da Parma e Reggio Emilia, il miglior aceto balsamico viene da Modena – sono città a circa 20 km l'una dall'altra: parmigiano e aceto balsamico sono nati insieme e insieme vivono benissimo. Ma attenzione: deve essere aceto balsamico di quello buono, con almeno una dozzina di anni di invecchiamento!

Un posto d'onore: un ruolo importante, in piena vista.
Bufala: una mucca selvatica.
Piadina: un "pane" tipico della Romagna, un disco grande come un piatto cotto sulla piastra.

VACCA E MUCCA

Vacca e mucca sono due nomi che indicano lo stesso animale, la femmina del toro. Ma il loro uso è molto differenziato: in italiano formale si tende a usare "mucca", in italiano non formale si usa anche "vacca", ma questa parola si usa soprattutto come offesa:
- usato per definire una donna, significa che è poco seria; in certe lingue lo stesso concetto si esprime dicendo che una donna è una "cagna", mentre in italiano "quella è una cagna!" significa che è una donna cattiva;
- ci sono poi espressioni come "dire/fare una vaccata", che significano dire o fare cose stupide, mal fatte o addirittura non oneste, non degne di amici.

DOZZINA

Dozzina deriva da "dodici" e significa "circa dodici". Aggiungendo –*ina* a numeri come 10, 20, 30... fino a 90 puoi indicare lo stesso concetto: una cinquantina significa "circa 50".
La ragione per cui oltre ai numeri basati sul 10 trovi anche dozzina, basato sul 12, è un'eredità del mondo celtico che dominava la Pianura Padana prima dei Romani: l'aritmetica celtica era basata sul 12 (come lo sono ancora le ore del giorno) e non sul 10.

DOLCI / 1

LA CIAMBELLA

Abbiamo visto in tutti i moduli di questo libro che una delle poche caratteristiche comuni alle varie cucine regionali italiane è il fatto che sono "cucina povera". Anche i dolci seguono questa logica. È difficile trovare nella tradizione italiana dolci ricchi di panna come certe torte bavaresi, tedesche, inglesi. Il burro è presente soprattutto nei dolci del Nord, perché al Centro-Sud c'è sempre stato poco burro, spesso sostituito dalla ricotta.

In questa pagina trovi tre tipi di dolce italiano:

a. il dolce elementare, semplicissimo, la "ciambella": è un semplice impasto fatto di farina, burro, zucchero e uovo, dentro il quale puoi mettere scorza di limone, uva passa o altri ingredienti profumati. Ha varie forme (un filone stretto e lungo, un cerchio con un buco al centro). Nella ricetta qui sopra vedi delle piccole ciambelle circolari, che vengono spesso mangiate bagnandole nel vino dolce;

b. nella pagina a fronte vedi due possibili varianti della ciambella: in un caso metti della marmellata sulla base di pasta: è la "crostata": è una torta elementare che può avere la frutta conservata oppure quella fresca (ad esempio fettine di mela o di pesca) che si cuociono con la torta, oppure frutta aggiunta sulla base, insieme ad un po' di crema: fragole, uva, frutti di bosco, ecc.; il principio è semplice: la pasta come base, frutta cotta o cruda, marmellata o crema messe sopra;

c. nel secondo caso, che nella ricetta è uno strudel, comune a tutto l'arco alpino, ma che puoi trovare in varie forme in tutt'Italia, si fa uno strato di pasta sottile, ci si mette dentro qualcosa (di solito frutta fresca come mele, secca come noci, invecchiata come l'uva passa) e si fa un rotolo, che poi viene tagliato a fette.

IL BUCO

La ciambella circolare ha un buco al centro.
Su questa forma si basa un proverbio italiano:
- *non tutte le ciambelle escono col buco*
 che significa che non tutti i progetti vanno a finire come si vorrebbe.

La "torta" è alla base di altri modi di dire; il primo è "essere in torta con qualcuno":
- *Giovanni è sempre in torta con quelli che comandano*
 significa che Giovanni è come l'uvetta o altri componenti che trovi in tutte le torte, cioè è sempre a contatto con quelli che comandano;

il secondo è "intortare":
- *gli ha parlato tutta la sera e alla fine l'ha intortato*
 significa "lo ha convinto" o "lo ha sedotto", ma con una connotazione negativa: se si "intorta" una persona lo si fa per avere un vantaggio non sempre nobile…

STRUDEL DI MELE

Questo dolce che si può gustare anche in Germania e in Austria è tipico delle vallate montane del Cadore in Veneto e in Trentino Alto Adige dove viene servito a tutte le ore e in tutte le sue varianti. Oggi si trova facilmente in tutto il Nord e anche in altre regioni.

Che cosa serve

1 kg di mele renette, 100 g di burro, 150 g di uva sultanina (o uva passa), 100 g di pinoli, 100 g di gherigli di noce, la buccia grattugiata di mezzo limone, cannella a piacere, 2 cucchiai di nocciole tritate, 1 cucchiaio di mollica di pane raffermo grattugiata, 400 g di farina, 70 g di burro, 1 uovo, un pizzico di sale

Come si prepara

Fare una fontana con la farina e al centro mettere il burro morbido e 4 cucchiai di acqua tiepida. Battere la pasta sul piano di lavoro, ripetutamente, per darle elasticità. Farla riposare per 30 minuti sotto una pentola riscaldata in precedenza.

Sbucciare le mele, tagliarle a fettine ed unirle all'uvetta, ai pinoli, ai gherigli di noce, alla scorza di limone, allo zucchero e alla cannella e raccogliere tutto insieme in una capace terrina.

Su un panno leggermente infarinato spianare la pasta e spennellarla di burro fuso. Con le mani infarinate allargare la pasta senza fare buchi.

Mettere sopra la pasta le nocciole triturate e la mollica di pane, dopodiché adagiarvi le mele, cospargere di zucchero e arrotolare la pasta; chiudere bene le estremità in modo che non esca la frutta; tradizionalmente si dà a questo "tubo" una forma a ferro di cavallo. Infornare a 180°C per un'ora.

Come si serve

Servire lo strudel tiepido, spolverizzato di zucchero a velo, tagliato a fette; su ogni fetta si può mettere un cucchiaio di panna montata.

Gherigli: l'interno della noce, senza il guscio.
Pane raffermo: pane vecchio, secco.
Spennellarla: ricoprire usando un pennello.
Dopodiché: dopo aver fatto una data cosa.
Adagiarvi: posare lì sopra.
Ferro di cavallo: il rinforzo di ferro che si inchioda all'unghia ("zoccolo") del cavallo per proteggerla. Ha una forma ad arco.

LA CROSTATA A MARMELLATA

Che cosa serve

Queste dosi bastano per 8 persone:

1 uovo intero e 2 tuorli, 320 g di farina, lievito per dolci, scorza di limone, vaniglia, 125 g di zucchero, 160 g di burro, sale, 200 g di marmellata

Come si prepara la pasta frolla

Mettere su una spianatoia la farina e versarvi in mezzo le uova, mescolare bene, poi aggiungere un pizzico di lievito, il limone grattugiato, lo zucchero, un pizzico di sale e uno di vaniglia.

Aggiungere infine il burro che si sarà fatto ammorbidire in precedenza.

Lavorare la pasta molto velocemente per non scaldarla troppo con il calore delle mani, poi farne una palla, metterla in un recipiente coperto e lasciarla riposare in frigo per almeno due ore.

Trascorse le due ore foderare uno stampo imburrato e infarinato con un disco di pasta frolla e coprirne anche il bordo. Conservare un po' di pasta frolla che servirà per le striscioline sopra la marmellata.

Stendere uno strato di marmellata sul fondo di pasta frolla, poi ripiegare verso l'interno i bordi del disco di pasta, in modo che "abbraccino" un po' della marmellata.

Stendere l'avanzo di pasta e farne delle striscioline, che poi si appoggiano sulla marmellata di solito incrociandole, come nella fotografia.

Cuocere in forno per una mezz'ora a 170°.

Spianatoia: tagliere di legno.
Foderare: stendere sul recipiente lo strato di pasta, facendone una "fodera", cioè una copertura.
Disco: uno strato abbastanza sottile a forma di disco, cioè rotondo.

DOLCI / 2

Qui trovi due ricette di dolci più complessi e sofisticati di quelli "elementari" che abbiamo visto nelle pagine precedenti:

a. il tiramisù, che insieme alla pasta mette formaggio, caffè, spesso liquore; il tiramisù ha conquistato il mondo conservando il nome italiano che significa "tirami su", cioè "dammi una spinta, uno stimolo" – anche perché una combinazione di zucchero, grassi e caffè come questa ci "tira su" davvero!

b. il "gelo (talvolta detto 'gello') di limone", fatto con succo di limone reso solido:
è tipico del Sud e spesso si fa utilizzando i limoni dopo che è stata tolta la scorza per fare un liquore famosissimo, il limoncello (trovi la ricetta a pag. 100).

In basso vedi altri due dolci semplici (il cannolo è pasta riempita di ricotta; le polpette di cioccolato sono palline di burro, farina, zucchero e cioccolato), che però possono essere resi molto più complessi:

c. la ricotta che viene messa dentro il cannolo semplice che vedi nella foto può essere arricchita con scagliette di cioccolata e con pezzetti di frutta candita (diventando una vera bomba di calorie!);

d. la polpetta di cioccolata che vedi nella foto è arricchita con pezzetti di cioccolato, aggiunto a quello in polvere mescolato all'impasto, e con pezzetti di mandorle (ma potrebbe essere anche nocciole o noci).

1. LE CARATTERISTICHE GIUSTE

Hai visto le caratteristiche di molti dolci. Scegliendo tra le parole elencate qui sotto, completa la tabella:

caffè	canditi	cioccolata	frutta fresca	frutta secca	limone
marmellata	ricotta	nord	sud	uva passa	

COMPLETARE CON LE RICETTE

	Ingredienti	Cottura	Provenienza
Cannolo			
Ciambella			
Crostata			
Crostata			
Gello			
Strudel			
Tiramisù			

■ Una "polpetta di cioccolata".

■ Un cannolo siciliano.

Reso: participio passato di "rendere", cioè "far diventare".
Scorza: la buccia di frutti come i limoni, le arance, ecc.
Scagliette: piccole scaglie, cioè pezzetti irregolari, spesso sottili.
Candita: frutta cotta nello zucchero per poterla conservare.

TIRAMISÙ

Che cosa serve

400 g biscotti savoiardi, 500 g di formaggio mascarpone (non si possono usare altri formaggi), 100 g di caffè italiano forte, 100 g di brandy, 100 g di cacao amaro in polvere, 5 tuorli d'uovo, 100 g di zucchero

Come si prepara

Per prima cosa preparate il caffè, tanto quanto basta per inzuppare i savoiardi e lasciatelo raffreddare. Montate i tuorli delle uova insieme allo zucchero fino ad ottenere un bel composto bianco e schiumoso.

Lavorate poi il mascarpone con un cucchiaio di legno fino a ottenere una crema senza grumi e unitela al composto preparato in precedenza. Aggiungete al caffè, che avete preparato precedentemente, due cucchiai di brandy e iniziate ad immergerci i savoiardi, che dovranno essere ben imbevuti ma non completamente zuppi.

Stendete in un piatto grande e dal bordo alto uno strato di savoiardi, quindi, stendeteci sopra uno strato di crema al mascarpone livellandolo con una spatolina. Seguite lo stesso procedimento per il secondo strato e tutti gli altri che queste dosi vi consentono.

Terminata questa operazione spolverate con abbondante cacao amaro la superficie del vostro Tiramisù e aggiungete una manciata di scaglie di cioccolato.

Come si serve

Riponete in frigo per qualche ora per far compattare il dolce e... buon appetito!

Savoiardi: biscotti molto leggeri, che assorbono molto liquido se glielo si versa sopra.
Mascarpone: formaggio molto morbido, come la ricotta, e molto grasso.
Inzuppare: bagnare bene.
Composto: impasto.
Grumi: pezzetti duri in un impasto morbido.
Immergerci: mettere dentro un liquido.
Imbevuti: devono aver assorbito il caffè.
Zuppi: troppo imbevuti.
Spatolina: una specie di cucchiaio piatto.

GELLO DI LIMONE

Che cosa serve

300 g di succo di limone filtrato, 700 g di acqua, 100 g di zucchero, 70/80 g di maizena, 6 gocce di essenza di limone

per decorare: frutta di bosco: lamponi, mirtilli, fragoline di bosco, more, foglie di limone o altre foglie decorative.

Come si prepara

In una casseruola mescolare il succo di limone con l'acqua, aggiungere lo zucchero e la maizena. Mescolare con molta attenzione perché non devono esserci grumi.

Porre la casseruola sul fuoco non molto alto e mescolare continuamente fino a che il liquido non diventa gelatinoso, cioè abbastanza denso.

Continuare a mescolare lentamente fino a quando il composto comincia a bollire.

Lasciar bollire per cinque minuti, e poi profumare con qualche goccia di essenza di limone (se se ne mette troppo l'aroma è eccessivo).

Senza aspettare che si raffreddi, versare il composto in uno stampo, di solito del tipo antiaderente e a forma di cerchio, con il buco in centro come una ciambella.

Lasciar raffreddare e mettere in frigorifero per alcune ore.

Attenzione: il gello non è facilmente solubile in acqua, quindi lo stampo ed i piatti sporchi di gello escono dalla lavastoviglie ancora sporchi: è quindi necessario pulirli con una spugna o uno spazzoletto prima di metterli a lavare.

Come si serve

Rovesciare lo stampo su un piatto da portata e decorare con molta frutta di bosco.

Maizena: farina di mais.
Essenza di limone: un liquido che si compra in pasticceria e che ha il profumo della buccia di limone, che nel gello non è usata.
Gelatinoso: che ha la consistenza di un gel, di una gelatina.
Solubile: che si scioglie in un liquido.
Spazzoletto: una specie di spazzola o di piccola scopa che si usa per togliere avanzi da un piatto.

IL CAFFÈ

Dopo la frutta e il dolce non può mancare il caffè. Caffè, non cappuccino: quando gli italiani vedono qualcuno che prende un cappuccino a fine pasto disapprovano fortemente.

Il caffè italiano ha una caratteristica: si beve in piccole quantità. La grande tazza di caffè è detta "caffè americano", e questo dimostra che non viene sentito come italiano. Essendo poco, il caffè italiano è più denso e saporito di quello "americano" che si beve in tutto il mondo, ma non è più forte: proprio perché l'acqua è poca, anche la caffeina che viene sciolta mentre si fa il caffè è meno di quella che trovi in una tazza di caffè "americano".

Il caffè italiano è essenzialmente di due tipi:

■ Il caffè della "moka", quello fatto in casa. "Moka" è un tipo di caffè africano, ma per tutti gli italiani è questa caffettiera, la più classica di tutte, la Bialetti. La polvere di caffè (una volta si macinava sul momento, con il "macinino" che trovi a pagina 99) viene messa nel serbatoio al centro, nella parte più stretta; sotto c'è l'acqua che bollendo passa attraverso il caffè e si raccoglie in alto, pronta per essere servita.

■ La macchina espresso, che si sta diffondendo in tutto il mondo, è stata inventata a Trieste da Illy un secolo fa – e Illy è ancora considerato uno dei migliori caffè italiani.
La macchina espresso che vedi qui sopra non è per un bar ma per la casa: si mettono i chicchi di caffè in alto, e ogni volta che prepari un caffè la macchina macina la giusta dose di chicchi, in modo che il profumo sia sempre al massimo!

Il caffè espresso è servito in molte maniere diverse:

- **ristretto:** è un caffè che riempie meno di metà della tazzina: cremoso, denso, profumato al massimo;
- **lungo:** è la tazzina di caffè piena; ha più caffeina del caffè ristretto, ma ha meno profumo;
- **macchiato caldo/freddo:** con un po' di latte; se è caldo, il latte è scaldato con vapore in modo che faccia la schiuma come il cappuccino; se metti più latte, è un **macchiatone**; un **marocchino** ha ancora più latte, ma è più piccolo del cappuccino; il macchiato può anche essere senza schiuma, ma bisogna chiederlo al barista;
- **corretto:** si aggiunge al caffè un po' di grappa o brandy;
- **in tazza / in vetro:** normalmente il caffè viene servito in tazza, ma soprattutto al Sud alcuni lo preferiscono in una tazzina di vetro anziché di ceramica;
- **cappuccino:** in una tazza da tè si mette un caffè e si aggiunge latte, scaldato con vapore spinto a pressione dentro il latte in modo da farne una schiuma; può avere anche una spolverata di polvere di cacao sulla schiuma;
- **latte e caffè:** un espresso in bicchiere con aggiunta di latte (caldo o freddo) senza schiuma;
- **americano:** il classico caffè in tazza grande fatto con i filtri o con il caffè solubile;
- **shakerato:** caffè con ghiaccio tritato gonfiato d'aria in uno shaker; si trova ancora poco, ma sta diffondendosi soprattutto d'estate;
- **freddo:** è caffè tenuto in frigo e viene bevuto d'estate; siccome lo zucchero non si scioglierebbe nel caffè freddo, viene prima sciolto in un po' d'acqua;
- **alpino:** lo si beve soprattutto nei rifugi delle Alpi, e si fa mettendo grappa al posto dell'acqua nella moka.

Questa varietà dimostra quanto sia radicato il caffè nella nostra tradizione, e ogni persona ha i suoi gusti personali: chi vuole un caffè ristretto spesso rifiuta un caffè se è stato fatto lungo! E spiega anche perché di fronte al normale caffè "americano" gli italiani non sono felici…

IL PIATTO UNICO: PIZZA, PANINO, TOST, STUZZICHINI

Questa foto è riconoscibile in tutto il mondo: è la foto di una pizza. Anche se una ricerca ha dimostrato che i giovani americani spesso non sanno che la pizza è italiana (anzi: napoletana!), in realtà in tutto il mondo "pizza" significa Italia, e spesso il nome della pizzeria è scritto in bianco, rosso e verde, con i colori della bandiera italiana e della pizza margherita, che ha il bianco della mozzarella, il rosso del pomodoro e il verde del basilico o dell'origano. Il principio della pizza è semplicissimo e ne ricorda l'origine come piatto non solo povero ma addirittura poverissimo: su una base di pasta di pane, possibilmente arricchita con un po' di olio, si mette qualcosa: qualche erba (rosmarino, cipolla), un po' di carne (salsiccia, di solito), mozzarella sulla quale puoi aggiungere di tutto – dal pomodoro alle verdure, dal prosciutto ai funghi, dalle uova ai gamberi.
Oltre alla pizza vedremo anche altri **spuntini**, spesso mangiati in fretta a mezzogiorno, oggi che il modo di vivere italiano ci porta a non tornare a casa per il pranzo: i panini imbottiti (cioè un panino tagliato a metà con qualcosa dentro: salume, formaggio, verdure, ecc.), i tost e soprattutto i mille "stuzzichini", cioè piccole fette di pane con sopra qualcosa, pizzette, ecc. che servono per rompere la fame senza sedersi due ore in un ristorante.

LA PIZZA

Abbiamo visto che la pizza, uno dei piatti più poveri della cucina italiana, è un disco di pasta di pane su cui, come vedi nelle foto, si mette prima la salsa di pomodoro e poi della mozzarella tagliata a cubetti. A dire il vero i pizzaioli sono bravi a fare un disco di pasta – ma se si fa in casa, è spesso molto più comodo fare una pizza rettangolare, come vedi nella ricetta nella pagina di fronte.

Su questa base si può mettere di tutto – ad esempio melanzane grigliate e acciughe come nella pizza fotografata nella pagina a fronte, dove come vedi non c'è il pomodoro: è una pizza "bianca".

Mentre la scelta di pizza nei ristoranti internazionali come *Pizza Hut* è abbastanza limitata, nelle pizzerie italiane trovi decine e decine di varianti, a volte anche poco apprezzate dai buongustai italiani. Le più diffuse sono:

a. **margherita**: è la pizza più diffusa ed è quella che sta preparando il pizzaiolo; alcuni amano aggiungere un po' di rucola, dopo la cottura;

b. **diavola**: è una margherita con delle fettine di salamino piccante messe prima della cottura;

c. al **prosciutto** o allo **speck**: dopo la cottura si mettono sulla margherita delle fettine di salume; la variante allo speck ha spesso formaggio brie anziché mozzarella;

d. **quattro stagioni**: anche questa è una pizza classica, oltre al pomodoro e mozzarella ha prosciutto cotto tagliato a dadini, carciofini sott'olio, funghi sott'olio;

e. **capricciosa** con prosciutto cotto e funghi sott'olio;

f. **napoletana**: ha acciughe e olive;

g. **vegetariana**: sulla margherita si mettono prima della cottura fette di melanzane, peperoni, zucchini cotti alla griglia in precedenza;

h. **tonno**: si aggiunge alla margherita un po' di cipolla tagliata a fettine sottili e tonno prima della cottura.

Queste naturalmente sono solo alcune delle decine di pizze – e se ne possono inventare altre, ricordando che la pizza cuoce pochi minuti in un forno ben caldo e quindi quello che ci si mette sopra deve essere già cotto in alcuni casi (ad esempio le verdure) o va aggiunto solo dopo la cottura, quando la pizza è ancora caldissima (ad esempio il prosciutto, lo speck, la rucola, il pomodoro a fette, ecc.).

Talvolta le varietà di pizza non sono basate su una tradizione locale ma semplicemente sulla fantasia del pizzaiolo – e questo è pericoloso, perché per il desiderio di stupire il cliente si trovano pizze con pesci, con panna, con ragù messicano, con banana e così via...

CHE PIZZA!

Sebbene la pizza sia uno dei pasti preferiti dagli italiani, dire a una persona "sei una pizza!" o dire che un film o un libro "è una pizza" ha un significato negativo: significa che quella persona, quel libro, quel film sono noiosi, ripetitivi...

Finora abbiamo parlato della pizza rotonda da mangiare al ristorante o "per esportazione", cioè da portare a casa in una speciale scatola di cartone, come nei take away americani. Ci sono delle pizzerie che hanno dei fattorini in motorino che portano direttamente la pizza a casa: basta ordinare per telefono.

C'è però anche la "pizza a metro": sono grandi pizze rettangolari, talvolta lunghe anche un metro, che nelle pizzerie e nei bar vengono tagliate in quadrati che si mangiano come un panino, per fare uno spuntino. Anche qui la varietà è molta, ma una cosa differenzia queste pizze da quelle rotonde: la pasta è molto più grossa e lievitata, è alta un paio di centimetri: ciò è necessario per poter tenere in mano la fetta di pizza senza che si pieghi e lasci cadere a terra tutto il contenuto.

PIZZA MARGHERITA

Ingredienti

500 g farina tipo "o", 300 g pomodori pelati, 250 g mozzarella, 4 cucchiai di olio extra vergine di oliva, 30 g lievito di birra, acqua tiepida (q.b.), basilico (q.b.), un pizzico di sale

Preparazione

Mescolate in una ciotola 2 cucchiai di farina con 2 cucchiai di acqua tiepida.

Unite il lievito di birra sbriciolato, mescolate per far amalgamare bene gli ingredienti e lasciate lievitare il tutto in un luogo riparato, coperto con un canovaccio.
Quando il volume del composto sarà raddoppiato, dopo circa mezzora, unitelo alla farina che avrete messo a fontana su una spianatoia.

Aggiungete un pizzico di sale, 2 cucchiai di olio e lavorate il composto con le mani unendo poco a poco un filo di acqua tiepida.
Quando l'impasto è morbido ed omogeneo, mettetelo in una ciotola infarinata.

Coprite e lasciate ancora lievitare per un'ora abbondante.
A questo punto, rimettete la pasta sulla spianatoia e stendetela formando uno strato sottile.

Ungete con poco olio una teglia da forno e stendete la pasta.

Aggiungete sopra la pasta i pomodori pelati tritati, poco olio, sale e pepe. (Alcuni preferiscono, d'estate mettere pomodoro fresco tagliato a fettine sottili).
Infornate a 200°C per circa 15 minuti.

Poi aprite il forno, distribuite sopra la pizza la mozzarella tagliata a dadini e scolata dal siero ed il basilico e lasciate cuocere ancora per 8-10 minuti.

Servite calda.

Un segreto!

Bisogna ricordare che per ottenere una buona pizza bisogna:

- farla lievitare bene in un luogo tiepido,

- cuocerla bene.

Canovaccio: un riquadro di stoffa usata in cucina per pulire ed asciugare.
A fontana: lasciandola cadere dall'alto, come una pioggia.
Spianatoia: tagliere di legno.
Abbondante: anche di più di un'ora.
Scolata dal siero: la mozzarella è conservata dentro un liquido, quel che resta del latte: è il siero; per metterla sulla pizza bisogna prima scolarla, cioè eliminare il siero.

IL PANINO, IL TOST

Nella tradizione italiana si tornava a casa per il pranzo di mezzogiorno, ma sono cambiate le città – sempre più grandi – ed è cambiato il modo di lavorare, spesso le persone, impiegati o negozianti hanno un'ora di intervallo
fra mattina e pomeriggio: sono quindi nate delle paninerie o paninoteche, cioè bar che offrono una grande quantità
di panini per la sosta di mezzogiorno, (ma anche per le merende di metà mattina e metà pomeriggio.

IL PANINO

Nelle foto qui sopra vedi quattro tipi di panino, che spesso vengono riscaldati su una piastra prima di essere serviti, accompagnati da acqua minerale, una bibita analcolica o da birra.

Il panino a sinistra è un "trancio" di pane (cioè un filone tagliato in pezzi lunghi una decina di centimetri) con pancetta e rucola; la rucola è molto usata nei panini, così come le verdure cotte alla griglia: peperoni, melanzane, zucchine.

Nelle due foto centrali vedi delle "rosette" (o "michette", direbbero a Milano): una, con dei grani di sesamo, è farcita con tonno, rucola e fettine di limone, l'altra è tradizionale, una vera rosetta col prosciutto, che raramente viene scaldata. L'ultimo panino a destra è la tradizionale baguette al prosciutto.

La foto piccola in alto a sinistra è un panino particolare, fatto con fette di pane tostato: è una "bruschettona", cioè una grande bruschetta (vedi la bruschetta semplice a pag. 19), che difficilmente puoi mangiare in piedi senza un piatto che raccolga i pezzetti che cadono.

Sempre più diffusi sono i panini con il pane arabo, che finisce di cuocersi mentre il panino viene riscaldato.

IL TOST

Si tratta di un classico spuntino italiano, che vedi nella foto qui sopra: sono due fette di pane in cassetta (pan carrè), con dentro due fettine di formaggio e una di prosciutto cotto, che vengono messe in tostapane finché il pane non si tosta e, dentro, il formaggio si scioglie un po'.

Siccome è molto calorico, il tost (che solo in pochi luoghi viene scritto all'inglese, *toast*) sta passando di moda, lasciando spazio ai mille tipi di panini.

LA PIADINA

La piadina è tipica della Romagna ma ormai la trovi in tutt'Italia. È un disco di pasta, grande come un piatto, come una pizza senza nulla sopra – ma la pasta è diversa perché non è lievitata. Si cuoce su una piastra, la si piega in due, creando una specie di mezzaluna come quella che vedi nella foto, al cui interno ci sono salume e mozzarella oppure verdure cotte, o altri ripieni come nei panini. Viene servita calda.

A differenza dei panini, che hanno spesso molto pane, la piadina è più leggera, proprio perché è sottile, meno di mezzo centimetro.

IL TRAMEZZINO

Carico di maionese e salse è una carica di calorie, ma spesso non si riesce a resistere alla tentazione: si tratta di una fetta quadrata di pan carrè che viene tagliata in due triangoli, al cui interno puoi avere di tutto: insalata russa, mozzarella e pomodoro, tonno e olive (o cipolline, o pomodoro, o uova...), gamberetti, salsa piccante – il tutto tenuto insieme da maionese.

Spesso si ordina un panino e, mentre questo si scalda, si approfitta per prendere un tramezzino come quello nella foto centrale: il tramezzino infatti non va cotto ed è pronto subito...

1. DI' SE QUESTE AFFERMAZIONI SONO VERE O FALSE. FAI ATTENZIONE A TUTTI I DETTAGLI.

	Vero	Falso
a. I giovani americani sanno che la pizza è italiana perché è bianca, rossa e verde	☐	☐
b. La pizza è sempre rotonda... se chi la sta facendo è bravo!	☐	☐
c. La pizza è "da esportazione" quando viene portata in Europa o America	☐	☐
d. La pizza "a metro" è fatta in grandi riquadri di un metro per lato	☐	☐
e. La pizza "a metro" viene tagliata in pezzi che si mangiano sempre in piedi	☐	☐
f. Nelle pizze con salume, questo va messo in forno altrimenti si sente che è crudo	☐	☐
g. Una paninoteca è un negozio di panini che si trova in una biblioteca	☐	☐
h. I tramezzini sono molto buoni, hanno molte varietà e soprattutto non ingrassano	☐	☐
i. "Tost", anche se non sembra, è una parola italiana e non si può scrivere all'inglese, *toast*	☐	☐
l. La piadina è una specie di panino, ma ingrassa molto di più	☐	☐
m. La piadina è pesante ed ingrassa perché è fritta, anche se con poco olio	☐	☐
n. Il pane arabo è una novità in Italia, ma deve essere mangiato senza carne di maiale, per ragioni religiose.	☐	☐

Come avrai notato, tutte le frasi sono false. Se ne hai considerata vera qualcuna, riguarda bene!

GLI STUZZICHINI

Si tratta di piccolissime tartine che consistono in una sola fetta di pane, quasi sempre fettine di pan francese che sono belle solide, e che possono avere di tutto messo sopra: un po' di baccalà mantecato, due acciughe, una fettina di salame e una cipollina, ecc.: è davvero il regno della fantasia di chi li prepara.

Sono molto appetitosi – ma sono terribili per chi è in dieta, perché "uno tira l'altro", cioè se ne mangia uno, poi un altro, poi un altro…

GRISSINO CON PROSCIUTTO

Prendere dei grissini non molto grossi e arrotolarvi intorno una fettina di prosciutto crudo.
È importante però prepararli all'ultimo momento altrimenti il grissino si inumidisce e non è più croccante.

STUZZICHINO CON GORGONZOLA E SALMONE

Tostare delle fettine di pan francese e poi spalmarvi del buon formaggio gorgonzola da solo o mescolato a mascarpone. Su questa base si può mettere qualche noce spezzettata, una piccola fettina di prosciutto o di un altro salume, ecc.

Decorare poi con qualche filo di erba cipollina tagliata a piccoli tranci con le forbici.

VOL AU VENT

Farcire dei *vol au vent*: sappiamo che sono francesi, ma li possiamo rendere molto italiani se li farciamo con salsa di olive, oppure dadini di verdura grigliata e condita con olio extravergine di oliva e aceto balsamico di Modena, o ancora con funghi porcini saltati in padella, o formaggi tritati e mescolati, ad esempio mozzarella, parmigiano, gorgonzola e fontina. In questi ultimi casi bisogna scaldare i *vol au vent* prima di servirli.

STUZZICHINO CON CETRIOLO, ARINGA E CIPOLLA

Uno stuzzichino di origine molto povera, ma che è molto apprezzato consiste in una fetta di pane abbrustolito o un crostino di pane biscottato sul quale si spalma un velo di burro e poi si mette un pezzo di filetto di aringa affumicata.
Si decora infine con un pizzico di aneto fresco.

CRACKER CON FORMAGGIO

Un cracker o una fetta di pane abbrustolito si possono decorare con una crema di formaggio, mescolando robiola e ricotta ad esempio e poi mettendo sopra una oliva nera oppure un pomodorino secco sott'olio o ancora una foglia di basilico e un pomodorino fresco.

UOVO SODO

A Venezia vi può capitare che vi vengano offerte delle uova sode, sgusciate e tagliate a metà verticalmente e condite con sale e pepe, olio extravergine di oliva; sul tuorlo arancio ci può essere un'acciuga sotto sale deliscata e pulita oppure una cipollina sotto aceto.

Una delle caratteristiche degli stuzzichini è quella di avere un po' di maionese o di burro o, come nel caso dell'uovo sodo, anche di olio. La ragione è semplice: gli stuzzichini di questo tipo si prendono come antipasto oppure nei cocktail, dove spesso si bevono aperitivi alcolici – ma si è a stomaco vuoto e l'alcol va subito alla testa. Se invece si mangia qualcosa di grasso, con olio o burro, si crea nello stomaco una "protezione" che rallenta il passaggio dell'alcol dal cibo al sangue. Per questo oltre agli stuzzichini trovi spesso anche delle olive, che sono molto oleose.

Appetitosi: che stimolano l'appetito, fanno venire fame.
Croccante: asciutto, che si spezza con un "crock".
Spezzettata: ridotta in pezzetti.
Erba cipollina: un'erba aromatica con le foglie che sembrano fili, piccoli tubicini, e che ha profumo di cipolla.
Biscottato: ripassato in forno in modo che diventi un po' duro, adatto a far da base per lo stuzzichino ("biscotto": cotto due volte, "bi").
Velo di burro: strato molto sottile.
Aneto: un'erba profumata simile al finocchio, che viene usata spesso per il pesce.
Deliscata: è una parola rara che si usa proprio per parlare delle acciughe senza lisca, senza le spine centrali.

SPIEDINO

Si infilano dei pezzetti in uno stuzzicadenti, che serve anche per mangiare senza ungersi le mani. Puoi mettere verdure, come cipolline, pezzetti di peperone, ecc., e anche pezzetti di carne cotta in precedenza.

L'importante è che i cibi che infili nello stuzzicadenti siano abbastanza duri, solidi, per restare attaccati allo stuzzicadenti senza cadere a terra mentre si mangia in piedi, tra la gente, con un bicchiere in mano…

BAGUETTE CON…

È una specie di bruschetta, ma il pane non è passato al forno.

Spesso si usano fettine di baguette, cioè di pane francese, che è abbastanza solido e non si rompe.

Sopra la fetta di pane puoi mettere praticamente di tutto: in questa foto ci sono fettine di funghi e un po' di pomodoro. L'importante è che non siano pezzetti secchi, altrimenti cadono: devono quindi essere un po' oleosi in modo da attaccarsi tra loro.

Oleose: ricche di olio, di grasso.
Pan carré: sono le fette di pane cotto "in cassetta", usato per fare tost e tramezzini. Può essere tostato o non, e anche bianco o scuro, cioè fatto con farina integrale.

MINI-TRAMEZZINO

Un tramezzino è abbastanza grande, cioè è un triangolo ottenuto tagliando una fetta di pan carrè; il mini-tramezzino che vedi nella foto è invece piccolo: si prende una fetta di pan carrè, si mette sopra il ripieno e poi si copre con un'altra fetta. Il tutto viene tagliato in modo da ottenere quattro quadratini, facili da mangiare in piedi. In questa foto il pan carrè è integrale, scuro; dentro c'è una crema di formaggio e sopra una spruzzata di polenta sbriciolata.

CROSTINI AL PATÉ

I crostini sono fettine di pane (non pane francese, perché è troppo duro) tostati al forno.

Appena tolte, quando il pane è ancora caldo, si mette sulla fettina un po' di pâté – di olive nere, di fegato, di tonno, o come si vuole – schiacciandolo sul pane in modo che non cada se si mangia in piedi e si ha una mano occupata per il bicchiere di aperitivo.

Sul pâté puoi mettere decorazioni (ad esempio, verdura colorata tagliata a fettine sottilissime) o odori, ad esempio qualche foglietta di rosmarino.

ESERCIZI DI RIEPILOGO

1. COMPLETA QUESTO TESTO

Questa foto è riconoscibile _____ tutto il mondo: è la foto _____ una pizza. _____ tutto il mondo "pizza" significa Italia, e spesso il nome della pizzeria è scritto _____ bianco, rosso e verde, _____ i colori della bandiera italiana e della pizza margherita, _____ ha il bianco della mozzarella, il rosso del pomodoro e il verde del basilico o dell'origano.

Il principio _____ pizza è semplicissimo e ne ricorda l'origine come piatto poverissimo: _____ una base di pasta di pane, possibilmente arricchita _____ un po' di olio, si mette qualche erba profumata e un po' di mozzarella _____ quale puoi aggiungere _____ tutto – dal pomodoro alle verdure, _____ prosciutto _____ funghi, _____ uova _____ gamberi.

Oltre _____ pizza vedremo anche altri spuntini, spesso mangiati _____ fretta a mezzogiorno, che servono _____ rompere la fame senza sedersi due ore _____ un ristorante.

2. COSA RICORDI DI QUESTE PIZZE?

Fai una piccola descrizione di queste pizze senza controllare sulla pagina dove le hai trovate. Quante ne hai fatte da solo? _____. Adesso completa quelle che non ricordi, verificando a pagina 104-5.

margherita:	
diavola:	
al prosciutto:	
quattro stagioni:	
capricciosa:	
napoletana:	
vegetariana:	
tonno:	

3. CHE PIZZA QUESTI ESERCIZI!

La frase sopra ha un significato non proprio simpatico. Quale? Spiegalo senza controllare a pagina 104:

----

4. CHE DIFFERENZA C'È?

Descrivi questi quattro tipi di cibo veloce e poi controlla nella pagina in cui sono descritti (106-7).

panino:	
tost:	
tramezzino:	
piadina:	

I PASTI DELLE FESTE

Nella cucina di ogni Paese ci sono dei piatti che vengono preparati in occasione di feste tradizionali, che coinvolgono tutti, o di feste personali come il compleanno.

Ormai alcuni dei piatti delle feste si sono "globalizzati", cioè sono diventati uguali in Italia e nel mondo, soprattutto perché i film e la televisione *americani* hanno stabilito il modello comune: è il caso della torta di compleanno con tanta panna e le candeline.

Ma altre feste sono rimaste legate a piatti particolari. A parte Carnevale, le quattro principali feste tradizionali italiane (ed europee) sono di origine celtica, cioè precedenti al cristianesimo, che poi le ha fatte proprie.

Le "streghe", cioè donne non sposate che facevano da levatrice (aiutavano i bambini a nascere) e da medico nei villaggi, si ritrovavano quattro volte l'anno per scambiarsi informazioni, scoperte, erbe medicinali: erano i quattro "sabba" delle streghe, uno a primavera, uno a metà dell'estate, uno all'inizio dell'autunno ed uno, più lungo, durante l'inverno. Queste feste oggi sono Pasqua, Ferragosto (che è anche una festa religiosa, la Madonna Assunta), la festa dei morti (Ognissanti) e il Natale. Quest'ultimo sabba era il più lungo e riuniva molte più donne: durava 12 notti e si chiudeva il 6 gennaio con il ritorno delle "Befane", cioè donne vecchie, brutte e pericolose: e "Befana" è il nome della festa che il cristianesimo chiama "Epifania", e che in inglese si chiama "dodicesima notte".

Vediamo insieme i piatti tipici di queste feste.

CARNEVALE

"Carne, addio!": questo è il significato della frase latina *carne vale!*.

Carnevale infatti è una festa pagana, anche se oggi è diventata una festa legata al calendario cristiano: è l'ottava settimana prima di Pasqua, inizia il "giovedì grasso" e si conclude il "martedì grasso", il giorno prima del "mercoledì delle ceneri", in cui inizia la "Quaresima". Vediamo insieme la storia e il significato delle parole che abbiamo messo tra virgolette.

a. *giovedì e martedì "grassi"*: sono i giorni di inizio e fine del Carnevale (ma a Venezia, uno dei Carnevali più famosi del mondo, si comincia la domenica prima) e in passato erano giorni in cui si mangiava "di grasso", cioè con cibi ricchi e abbondanti.
   La ragione di questi grandi pranzi era anche di natura igienica: la carne degli animali, soprattutto dei maiali, macellati in autunno e conservata durante tutto l'inverno con sale o con l'affumicatura, cominciava ad andare a male mano a mano che la stagione diventava più calda, e soprattutto in Italia del Centro e del Sud febbraio, il mese in cui cade Carnevale, è quasi primaverile. Bisognava quindi mangiare tutta la carne rimasta;

b. *mercoledì delle "ceneri"*: il giorno dopo martedì grasso inizia un periodo di penitenza e digiuno, la Quaresima. In quel giorno le persone che hanno goduto, mangiato, bevuto, ballato a Carnevale vanno in chiesa dove il sacerdote gli fa un segno sulla fronte con della cenere di olivo, dicendo a ciascuno: "ricordati che sei polvere, e tornerai ad essere polvere";

c. *Quaresima*: quaranta giorni di penitenza e digiuno in preparazione della Pasqua, della rinascita di primavera (e, per i cristiani, della risurrezione di Cristo). Dal punto di vista religioso, la Quaresima è simile al Ramadam islamico: un periodo in cui si tengono sotto controllo i desideri del corpo e si rende più forte lo spirito pensando a Dio. Nell'antichità la Quaresima era in realtà un utilissimo periodo di disintossicazione dopo i cibi non sempre sani dell'inverno – e i dietologi moderni consigliano a tutti, anche ai non credenti, una "quaresima" primaverile, anche se magari di una sola settimana!

Carnevale è una festa importante per i bambini, e quindi i cibi di questa festa sono essenzialmente dolci, come vedi dalle due ricette. Sono due ricette che, con qualche variante, trovi in tutta Italia – e soprattutto per gli "straccetti" trovi molti nomi locali, da "galani" a "frappe", da "cenci" a "sfrappole"...

Per i giovani il carnevale è anche una festa trasgressiva, in cui si beve molto. Una delle bevande più comuni ha il nome francese, *vin brûlé*: è vino caldo, con chiodi di garofano e zucchero.

In quasi tutte le città italiane ci sono spettacoli di Carnevale, ma i carnevali più famosi sono tre: uno è quello di Venezia, in cui ci sono molte persone in maschera e spettacoli in piazza, per strada, nei teatri; gli altri due sono quelli di Viareggio, in Toscana, e di Cento, in Emilia: si tratta di lunghe sfilate di carri con statue di cartapesta che fanno satira politica o sportiva.

Pagana: dei tempi in cui non c'era ancora il Dio unico; i pagani adoravano vari dei.
Macellati: uccisi nel "macello", il luogo in cui si uccidono gli animali che devono poi essere mangiati.

Andare a male: marcire, corrompersi e diventare immangiabile.
Penitenza: pentirsi dei propri peccati e sopportare una "pena", cioè un dolore, privandosi di qualche cosa che piace.

Digiuno: privarsi in tutto o in parte del cibo, spesso per ragioni religiose, per offrire la propria sofferenza a Dio.
Tengono sotto controllo: controllano.

I GALANI

Questi dolci, che sono tipici del carnevale, vengono chiamati "galani" a Venezia, "cenci" a Firenze, "straccetti", "chiacchiere", "sfrappole", "frappe" o "crostoli" in altre parti d'Italia.

Per un bel piatto di galani servono:

500 g di farina, 3 uova, 60 g di burro, 1 cucchiaio di zucchero, 1 cucchiaio di grappa, 1 pizzico di sale, olio di semi per friggere, zucchero a velo.

Per prepararli devi fare così:

Disponi la farina a fontana; tuffa nel mezzo le uova, lo zucchero, il sale e la grappa e impasta prima delicatamente con una forchetta e poi, quando l'impasto avrà preso consistenza, con le mani.

Quando l'impasto risulta omogeneo allargalo sulla spianatoia e includi il burro a fiocchetti. Riprendi ad impastare velocemente evitando di scaldare troppo la pasta. Fai una palla, mettila in una ciotola infarinata, copri con un canovaccio da cucina piegato in quattro e fai riposare per un'ora in un luogo fresco.

Dividi ora la pasta in due o più parti e tira l'impasto a sfoglia di circa 2 millimetri di spessore; se non sei brava ad usare il matterello puoi usare anche la macchinetta che abbiamo visto nell'unità sulla pasta.

Utilizzando la rotellina dentata taglia le sfoglie a rettangoli o a nastri di circa 2 centimetri di larghezza. Per i rettangoli spesso si fanno in centro due tagli paralleli che renderanno "movimentato" il risultato della cottura.

Prima che si secchino i galani vanno fritti in olio caldo (160 gradi circa) per 2 minuti per lato, non più di 2 o 3 alla volta; quando hanno raggiunto un bel colore dorato vanno scolati con una schiumarola, asciugati con la carta assorbente e quindi spolverizzati di zucchero a velo.

A fontana: fai un mucchietto di farina, poi "svuoti" il centro, spostando la farina sul bordo, in modo che venga un "buco", come in una fontana.
Omogeneo: ben mescolato, con tutti gli ingredienti ben fusi, mescolati.
Canovaccio: pezzo di stoffa usato per asciugare i piatti.
Rotellina dentata: l' attrezzo per tagliare la pasta che vedi nella foto.

una rotellina dentata

FRITTELLE DI CARNEVALE

In tutte le regioni d'Italia la frittella ha un posto d'onore sulle tavole di Carnevale: si può fare in mille modi diversi, con il lievito per dolci o quello di birra, con la farina di fiore o di castagne o ancora con il semolino. Possono essere vuote oppure ripiene di crema, marmellata o addirittura zabaione.

Quella che ti diamo è la frittella veneziana – l'abbiamo scelta, insieme ai galani, in onore del più famoso carnevale italiano.

Che cosa serve

300 g di farina da polenta gialla, mezzo bicchiere di latte freddo, 3 cucchiai di zucchero, qualche cucchiaiata di grappa, la buccia grattugiata di un limone, 10 uova, 1 kg di farina di fiore, 400 di uvetta passa, 100 g di pinoli, 200 g di bucce d'arancia candite, 2 bustine di lievito per dolci, 2 l di olio di semi, 200 g di zucchero a velo.

Come si preparano

Con la farina gialla preparare una polentina morbida, metterla in una terrina piuttosto capiente e lasciarla a raffreddare.

Una volta fredda aggiungere in quest'ordine, mescolando accuratamente: le uova, lo zucchero, la grappa, il latte e la farina.

Impastare bene fino ad ottenere un composto morbido e senza grumi. Aggiungere i pinoli, l'uvetta passa sciacquata e ammorbidita in acqua tiepida e l'arancia candita tagliata a pezzettini.

Lasciare il tutto a riposare per una notte in frigorifero. Quando si è pronti per friggere aggiungere il lievito e battere energicamente.

Mettere a scaldare l'olio in una padella dai bordi alti, e quando è sufficientemente caldo, versare a piccole cucchiaiate il composto.

Le frittelle si gonfieranno tanto da capovolgersi mentre friggono. Quando sono ben dorate scolarle e asciugarle con una carta assorbente.

Alcuni fanno un taglietto e mettono dentro la frittella, dopo la cottura, crema o zabaione – ma la ricetta tradizionale veneziana è quella semplice, senza nulla.

Come si servono

Disporre le frittelle su un piatto da portata, spolverizzarle di zucchero a velo e servirle ancora tiepide.

Capiente: grande.
Una volta: dopo che.
Composto: insieme, impasto.
Grumi: parti di un ingrediente non ben fuso con gli altri.
Energicamente: con energia, in maniera decisa.

PASQUA

La Pasqua cristiana è l'erede delle feste pagane della fertilità, cioè le feste dedicate alla rinascita della natura durante la primavera.

È l'unica festa della tradizione europea che sia rimasta legata al calendario lunare. Per calcolare la data si parte dall'equinozio (il giorno in cui notte e giorno hanno la stessa durata, sono "uguali", che in latino si dice *aequus*) di primavera, cioè il 21 marzo; poi si aspetta la luna piena ("plenilunio") e la Pasqua è la prima domenica dopo il plenilunio.

La settimana precedente la domenica di Pasqua è la "settimana santa",

una settimana di penitenza, e il venerdì santo è anche giorno di digiuno (vedi pagina 112 per le tradizioni pasquali, da cui dipende anche la data del Carnevale); si fa festa anche il lunedì dopo la domenica di Pasqua, detto "Pasquetta": è tradizionale una gita in campagna, che include sempre anche una grande mangiata in compagnia, spesso a base di agnello o capretto.

Come nel mondo islamico alcune ricorrenze religiose sono caratterizzate dal fatto di mangiare montone, la Pasqua italiana è il momento in cui si mangiano agnelli e capretti, nati durante l'inverno. Era, in antichità, un modo per ridurre di numero le pecore e le capre che venivano lasciate crescere visto che bisognava poi trovare erba per nutrirle.

Il simbolo della Pasqua, legato alla nascita e alla fertilità, è l'uovo, che di solito si presenta in tre maniere:

a. l'*uovo sodo*, decorato come nella foto qui sopra. Sono uova bollite sul cui guscio i bambini fanno disegni; spesso li portano come doni ai nonni, agli zii, ai vicini, mettendoli sopra foglie primaverili sparse in un cestino;

b. le *torte all'uovo*, che non solo hanno delle uova dentro l'impasto come tutte le torte, ma ne hanno anche di intere, usate come decorazione. Nell'Italia centrale puoi trovare anche un tipo particolare di torta, fatta con pasta di ciambella e con una forma che ricorda quella di una donna: nel ventre, simbolo della fertilità femminile, è inserito un uovo sodo;

c. l'*uovo di pasqua*: è un uovo di cioccolata al cui interno c'è un regalo (la "sorpresa") per i bambini; l'uovo di pasqua è confezionato in carta brillante e colorata.

I pezzetti di cioccolata dell'uovo pasquale vengono spesso mangiati insieme ad un dolce tipico, la colomba di Pasqua: è un simbolo di pace. Si tratta di una focaccia con grossi chicchi di zucchero soffiato, cotta in una forma che richiama quella della colomba, simbolo della pace.

Fertilità: il fatto di essere fertili, cioè di poter creare nuova vita; una donna o un animale sono "fertili" se possono far figli, un terreno è "fertile" se dà raccolti abbondanti.
Gita: un'escursione, un breve viaggio in compagnia di amici.

Ricorrenze: feste che ricorrono, cioè che ritornano anno dopo anno.
Ventre: la parte del corpo femminile dove cresce il bambino o il cucciolo.

Chicchi di zucchero soffiato: grani (i "chicchi" sono quelli dell'uva, del caffè, ecc.) di zucchero dentro i quali è stata soffiata dell'aria, per cui sono leggeri e quasi vuoti.

1. LE FESTE DI PRIMAVERA

a. Pasqua non ha una data fissa, la data si calcola così:
- si parte dal 21 marzo, che è

- si osserva la luna: ----------------------------------

- la prima ----------------------------- dopo ------------
  --------------------------------- è Pasqua!

b. Dopo aver calcolato la data della Pasqua, si può calcolare quella del carnevale:
- carnevale viene

- il primo giorno di carnevale è ----------------------

- l'ultimo giorno di carnevale è ----------------------

- dopo l'ultimo giorno di carnevale, viene il
  --------------------------------, che segna l'inizio
  della ----------------------------, un periodo in cui

  ----

c. Pasquetta
- è il giorno --

- di solito a Pasquetta --------------------------------

  ----

d. Nella settimana di Pasqua si preparano cibi che ricordano la fertilità e che hanno come simbolo -----------------------------, che può essere
- sodo; i bambini spesso

- di cioccolata e si chiama
  ----

e. i dolci tipici di questo periodo sono:
- la ----------------------------, che è simbolo di pace e che è fatta ----------------------------
  ----

- al Sud trovi la ----------------------------:
  il simbolo della fertilità è dato dai semi di grano;
- in alcune zone del centro Italia si fa una torta a forma di ---------------------------- che ha un
  ---------------------------- nel ventre, simbolo della fertilità.

LA PASTIERA NAPOLETANA

Per i napoletani fare la pastiera è un rito: si deve preparare tutti insieme, dai vecchi ai bambini, il giorno del giovedì santo per mangiarla il giorno di Pasqua e per donarla agli amici.

Ingredienti

per la pasta frolla: 250 g di farina, 1 uovo, 100 g di zucchero , 100 g di strutto, un cucchiaino di zesta grattugiata di limone.

per il ripieno: 100 g di grano cotto per pastiera, 200 g di latte intero, 200 g di ricotta di pecora, 150 g di zucchero, 100 g di canditi misti tagliati a piccoli pezzetti, 150 g di zucchero a velo, una noce di strutto o di burro, un cucchiaio di zucchero, 3 uova , qualche cucchiaiata di acqua di fior d'arancio, 1 limone, una presa di vanillina.

Preparazione

Preparare la pasta frolla mescolando rapidamente con le mani tutti gli ingredienti. Quando si è ottenuta una pasta omogenea farne una palla, avvolgerla in pellicola da alimenti e metterla a riposare in frigorifero.

Per fare il ripieno, far bollire a fuoco lento il grano con il latte, lo strutto, il cucchiaio di zucchero e la vanillina per circa 30 minuti, finché il composto non sarà diventato una crema. Lasciare a intiepidire. Lavorare la ricotta con un cucchiaio di legno insieme allo zucchero fino a che non diventa cremosa. Aggiungere quindi 3 tuorli e 1 albume montato a neve ben ferma, la zesta di limone, l'acqua di fiori d'arancio e i canditi tagliuzzati. Per ultimo aggiungere il grano, e mescolare delicatamente. Stendere la pasta frolla con un matterello, lasciandone una piccola parte per la copertura. Foderare con la pasta una tortiera dopo averla unta con un po' di burro e infarinata. Riempire con il ripieno e con la pasta rimanente tirare delle strisce e disporle a griglia sul ripieno.

Mettere in forno precedentemente riscaldato, a circa 150 gradi, e far cuocere per circa 2 ore.

Quando la pastiera è cotta, farla raffreddare e infine spolverare con lo zucchero a velo.

La pastiera non si toglie dalla sua tortiera per servirla. Anche in pasticceria a Napoli la vendono insieme alla teglia. Infine la pastiera va lasciata a riposare in luogo fresco e asciutto per un paio di giorni, per far amalgamare tutti gli aromi e i sapori.

Strutto: grasso di maiale.
Una presa: un pizzico, un po'.
Pellicola da alimenti: una specie di cellophan, di carta trasparente fatta di plastica, con cui si possono avvolgere gli alimenti.

IL RICORDO DEI MORTI

L'inizio dell'autunno vero (quello ufficiale è il 23 settembre – ma in Italia è ancora estate...) è ai primi di novembre, ed in Italia è segnato da tre feste:

a. il primo novembre è la festa di "Ognissanti" (parola poco usata al Nord), cioè di tutti i santi; è una festa nazionale, quindi le scuole, gli uffici, le banche sono chiusi. Se cade vicino a un weekend, si fa un "ponte", cioè una vacanza di tre o quattro giorni;

b. il 2 novembre è il giorno dei morti o, come si dice in maniera più formale, dei "defunti": si visitano i cimiteri dove sono sepolti i propri cari, ed è un'occasione per vedere amici e parenti che spesso non si vedono da tempo; il giorno dei defunti non è festa nazionale, ma alcune scuole inseriscono questo giorno tra quelli che autonomamente possono considerare di vacanza; spesso uffici e banche sono chiusi il pomeriggio del 2 novembre, in modo che gli impiegati possano visitare il cimitero.

   In Italia il fiore usato il giorno dei morti per decorare il cimitero è il crisantemo, che vedi in questa foto: è un fiore bellissimo, che in molti Paesi è considerato normale, mentre in Italia è strettamente legato alla morte: quindi, non bisogna presentarsi a una festa con un bel mazzo di crisantemi!;

c. il 4 novembre era festa nazionale, ma da qualche anno viene festeggiata solo nelle scuole di alcune città, esattamente come il 2 novembre. Il 4 novembre del 1918 finiva la prima guerra mondiale, quella che riportò in Italia il Trentino, la provincia di Bolzano e la zona di Trieste. Il 4 novembre non è tanto la festa in ricordo di una vittoria militare ma piuttosto il ricordo dei poveri ragazzi morti nella prima guerra mondiale ed in tutte le altre guerre.

Queste giornate di inizio autunno, che soprattutto al Nord sono caratterizzate dalle prime nebbie o dalla pioggerellina, hanno il profumo delle caldarroste.

CALDARROSTE E CASTAGNE

Le caldarroste sono castagne grosse (dette anche "marroni") che vengono cotte sulle braci, spesso agli angoli delle strade: prima di cuocerle si fa un piccolo taglio orizzontale sulla buccia molto dura, e poi si aprono, una volta cotte, infilando un'unghia in quel taglio. Le castagne possono anche essere bollite, ma in tal caso si usano castagne sbucciate, come vedi nella foto – le stesse che servono per fare la marronata, la marmellata di castagne presentata nella ricetta.

Le castagne cotte sono buone anche da sole,
si possono mangiare con il miele o con il vino dolce, si possono schiacciare per metterle dentro delle torte (c'è anche una torta fatta
con farina di castagne: il castagnaccio), e lungo il Po, tra Ferrara, Mantova e Cremona, si
schiacciano le castagne bollite, ci si aggiunge uovo, noce moscata e parmigiano, e con questo impasto si riempiono dei grossi tortellini (detti "tortellacci"), che vanno conditi con burro fuso e salvia.

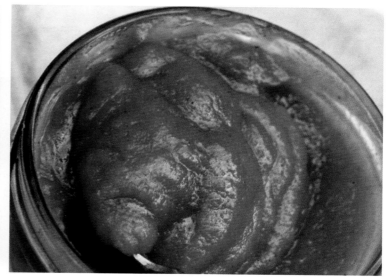

LA MARRONATA

Il nome più diffuso è "marronata", ma puoi anche trovarla come "marronita" o, più semplicemente, come "marmellata di castagne".

Si fa con i "marroni" cioè castagne grosse, di quelle che si possono anche cuocere sulle braci, come spesso vedi fare in autunno nelle strade e piazze delle città italiane, dove puoi comprare marroni caldi da mangiare camminando.

Cosa serve

1 kg di marroni, 700 g di zucchero, 1 baccello di vaniglia, rum.

Come si prepara

Con un coltellino affilato levate la buccia ad 1 Kg di marroni e fateli lessare in abbondante acqua. Quando sono cotti levate la pellicola che c'è intorno al "cuore" e passateli al passaverdura.

Mettete al fuoco 700 g di zucchero, bagnatelo con un bicchiere d'acqua e un baccello di vaniglia. Fate bollire e poi unite il passato di castagne. Lasciate bollire finché risulterà una crema omogenea e liscia. Lasciate intiepidire e poi, quando è tiepida, profumate la marronata con qualche cucchiaio di rum.

Quando è pronta mettetela in vasi puliti e perfettamente asciutti, chiudeteli con forza e poi metteteli a bollire in una pentola piena d'acqua per sterilizzarli. Devono bollire, a seconda della loro grandezza, 20 minuti per 250 g, 30 per 500 g, ecc. Quando sono pronti toglieteli dall'acqua e lasciateli raffreddare prima di riporli in un luogo fresco e asciutto.

Come si serve

La marronata è buona a colazione spalmata su una fetta di pane fresco o tostato.

Può anche essere un ottimo dessert: in tal caso viene servita in una ciotolina o su un piattino, insieme a un cucchiaio di panna montata e qualche biscotto secco e leggero.

LA ZUCCA

L'altro tipico frutto autunnale è la zucca. Può essere cotta al forno e usata in tanti modi, tra i quali uno, sempre nella zona del Po, è quello di fare i tortellacci con la zucca, come abbiamo visto si fa con le castagne. In questo caso la zucca va cotta al forno in modo che perda un bel po' della sua acqua, poi si aggiungono uova, noce moscata e parmigiano.

Nella foto vedi la zucca di Halloween, che è diventata famosa in tutto il mondo attraverso i film americani. In realtà, la zucca bucata con una candela dentro era una tradizione secolare nella valle del Po, soprattutto nella zona di Cremona.

Baccello: la vaniglia è un frutto particolare, come i piselli, i fagioli, in cui i semi sono all'interno di una doppia striscia che forma il frutto. Nella vaniglia, è proprio questa parte (che nei piselli e nei fagioli si butta) che ha il tipico profumo.
Sterilizzare: rendere sterile, cioè far morire il maggior numero possibile di batteri in modo che non marcisca.
Ciotolina: una piccola ciotola, cioè un piattino con i bordi incurvati e alti.

NATALE E CAPODANNO

Il Natale è la festa d'inverno.
È la festa in cui si sta insieme, si passano le lunghe serate buie intorno a una tavola, ed è la festa della famiglia. Esiste un proverbio che dice: *Natale con i tuoi, Pasqua con chi vuoi.*

I PASTI DEL NATALE
La festa di Natale, che include anche S. Stefano, cioè il giorno successivo (il 26 dicembre), è composta di almeno due tipi di tavolate:

a. *la cena della vigilia:* "vigilia" significa "il giorno prima", quindi stiamo parlando della sera del 24 dicembre. È una festa "di magro", in cui non si deve mangiare carne (che nell'antichità era il cibo dei ricchi) ma il pesce della povera gente; oggi naturalmente le cose sono cambiate, il pesce è sempre più apprezzato (e sempre più caro…), ma la tradizione rimane.

■ Il presepe o presepio.

In molte famiglie dopo la cena vengono aperti i regali che ciascuno fa agli altri membri della famiglia; alcune famiglie aspettano la mattina del giorno di Natale, perché c'è una tradizione secondo la quale i regali li porta durante la notte Gesù Bambino (o, per influenza americana, Babbo Natale);

b. *il pranzo di Natale:* è il regno della carne e dei dolci, questo giorno!
Tradizionalmente c'è una minestra in brodo, spesso tortellini; poi ci sono i "lessi", cioè la carne che è stata usata per fare il brodo. Tra i tipi più raffinati di lessi c'è il cappone, cioè il gallo castrato, che fa un brodo saporoso e grasso (anche se oggi il brodo viene un po' sgrassato); spesso poi c'è l'arrosto.

E poi c'è il dolce, che cambia in ogni parte d'Italia. Essenzialmente si tratta di due tipi opposti di dolce: uno è schiacciato, pesante, ricchissimo di canditi, burro, uova, frutta secca, un po' come il panforte toscano: non ti diamo i nomi perché ci vorrebbe una pagina per raccogliere i cento modi in cui viene chiamato questo tipo di dolce; l'altro tipo è un dolce leggero, pieno di aria, come il panettone milanese o il pandoro veronese, che ormai si trovano in tutta Italia.

CAPODANNO
La cena, o meglio "il cenone", di capodanno, il 31 dicembre, è un pranzo ricco come quello di Natale, e c'è un piatto che non può mancare: le lenticchie, che al Nord sono accoppiate con lo zampone, come nella foto sopra la ricetta.

Le lenticchie, che sono tipiche del Centro e del Sud (ma le più famose sono quelle dell'Umbria) sono piccoli legumi schiacciati che ricordano delle piccole monete, e quindi sono portafortuna: se mangi lenticchie a capodanno non avrai problemi di denaro nell'anno che sta per cominciare.

■ l'albero di Natale.

■ Il Panettone è il dolce più tipico del Natale. Lo si trova prodotto dalle più famose marche italiane di dolciumi.

ZELTEN TRENTINO

In questa ricetta non ti diamo separatamente gli ingredienti e poi le istruzioni. In molte riviste e libri di cucina, infatti, le due cose vengono messe insieme, per cui devi poi ricavare da solo cosa serve e quanto ne serve.

Lo zelten è un dolce del Trentino, che fino al 1918 faceva parte del Tirolo austriaco: da qui il nome tedesco, come per altro "strudel", altro dolce alpino. In realtà varianti dello zelten si trovano in tutte le Alpi e, in parte, anche nella pianura padana.

Sciogliete a bagnomaria 100 g di burro nello stesso recipiente dove preparate la pasta, sbattetelo bene con 150 g di zucchero, aggiungete 4 uova intere e 300 g di farina bianca.

Mescolate bene l'impasto ed aggiungete 2 dosi di lievito vanigliato.

Unitevi un bicchiere di latte tiepido e mescolate il tutto per circa un quarto d'ora sempre nella stessa direzione: se si comincia in senso orario, cioè come le lancette di un orologio, bisogna sempre continuare nello stesso verso.

La pasta deve rimanere un po' dura.

Aggiungete poi la frutta secca come segue:

150 g di gherigli di noce tagliuzzati, 250 g di fichi secchi tagliati a pezzi, 50 g di pinoli, 50 g di uva sultanina, 50 g di canditi di cedro e/o arancia

Rimescolate il tutto, versate poi il composto in una tortiera unta ed infarinata.

Guarnite la superficie con mandorle sbucciate e gherigli di noce.

Mettete in forno per circa 45 minuti. Prima a 250 gradi, poi, dopo 20 minuti, abbassate la temperatura a 200 gradi.

Quando è pronto lasciatelo raffreddare nella tortiera e poi servitelo.

Forse lo zelten è addirittura più buono qualche giorno dopo la preparazione.

A bagnomaria: si mette il contenitore del burro dentro acqua bollente, in modo che sciolga lentamente.
Dose: è una quantità già fissata, di solito una bustina.
Vanigliato: profumato, aromatizzato, con vaniglia.
Unitevi: unite a tutto questo.
Gherigli: la noce tolta dal guscio.
Cedro: un agrume fatto come un limone, ma più grande e meno acido.
Guarnite: decorate.

ZAMPONE E LENTICCHIE

Servono:

1 zampone, 1/2 kg di lenticchie, olio, un gambo di sedano, una piccola cipolla, un peperoncino rosso.

Lo zampone

Oggigiorno lo zampone si compera sempre più spesso precotto, confezionato dentro una busta di carta stagnola.

Si immerge in acqua fredda lo zampone con il suo involucro e si fa bollire per 40 minuti circa.

Poi si taglia un angolo della confezione e si fa scolare tutto il grasso che si è sciolto con il calore, facendo attenzione a non scottarsi – una bruciatura di grasso è molto fastidiosa!

Una volta scolato completamente, si apre la confezione, si taglia lo zampone a fette grosse un dito e lo si serve insieme al purè di patate e alle lenticchie in umido.

Le lenticchie in umido

Per le lenticchie in umido, piatto tipico dell'Italia centrale, si procede come segue: in una casseruola fare un soffritto con olio, un gambo di sedano, una piccola cipolla e un peperoncino spezzettato.

Quando è ben caldo aggiungere un barattolo di salsa di pomodoro e lasciar cuocere a fuoco basso.

Nel frattempo sciacquare con acqua corrente mezzo chilo di lenticchie. Ricordarsi che le migliori sono quelle di Castelluccio, un paesino dell'Umbria. Sono molto piccole, saporite e... costosissime.

Metterle a bollire in acqua fredda e quando cominciano a salire alla superficie, raccoglierle con la schiumarola e versarle nella casseruola dove sta bollendo la salsa di pomodoro.

Far cuocere lentamente per circa un'ora aggiungendo, se serve, un bicchiere dell'acqua di cottura delle lenticchie.

Quando sono quasi cotte aggiungere la quantità necessaria di sale.

Oggigiorno: oggi, al giorno d'oggi.
Precotto: cotto prima, già cotto.
Carta stagnola: pellicola di alluminio; una volta si usava stagno, un altro metallo, e quindi si chiama ancora "stagnola".
Involucro: contenitore.
Confezione: contenitore, in questo caso una specie di tubo in alluminio.
Sciacquare: lavare con acqua.

LA CUCINA NELLA LETTERATURA

PETRONIO ARBITRO: LA FESTA DI TRIMALCIONE

Il testo che trovi in queste pagine viene da uno dei pochissimi romanzi dell'antichità, scritto circa 2000 anni fa da Petronio Arbitro.

L'episodio che riportiamo qui è uno dei più famosi, la cena di Trimalcione. Ancora oggi per parlare di una cena eccessiva, esagerata, di cattivo gusto, in cui conta il costo più che il sapore dei cibi, si dice "una cena trimalcionica". Eppure, se vai su Google e scrivi Trimalcione, vedrai quanti ristoranti ne hanno preso il nome!

PETRONIO ARBITRO

Si sa poco di Petronio, il cui nome completo era forse Tito Petronio Nigro, ma che è noto come Petronio Arbitro – dal suo soprannome latino *arbiter elegantiarum*, l'arbitro dell'eleganza, colui che stabilisce le regole di quel che è elegante e alla moda e quello che non lo è.

Sappiamo che era un intellettuale, che faceva parte del gruppo degli amici dell'imperatore Nerone, che conduceva una vita "scandalosa", dormiva di giorno e passava la notte tra affari e piaceri. Ma sappiamo anche che in Asia, dove fu funzionario imperiale per qualche tempo, si dimostrò in gamba e duro.

Non sappiamo l'anno della sua nascita, ma sappiamo che nell'anno 66 si suicidò per ordine di Nerone - ma fece anche questo alla sua maniera, con eleganza, ascoltando musica, mangiando con gli amici, parlando di filosofia…

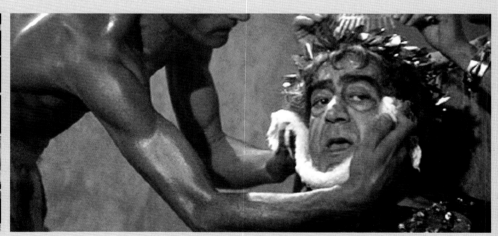

FELLINI SATYRICON

Nel 1969, diciannove secoli dopo la sua composizione, il romanzo di Petronio Arbitro diede il soggetto ad uno dei più bei film di Federico Fellini, il grande Maestro del cinema italiano.

Il romanzo ci è arrivato solo in frammenti, cioè incompleto; Fellini prende alcuni di questi frammenti e ne fa un film ancora più slegato, in cui gli episodi paiono non aver senso. Ma il significato profondo è chiaro: i due giovanissimi protagonisti, che girano nell'impero tra le ricchezze e le miserie, all'inizio della storia sono puri d'animo (anche se uno fa il prostituto…), ma poi il contatto con la città, il potere, la ricchezza li corrompe, li fa invecchiare dentro, li rende sempre più infelici.

La scena finale, che non c'è nel romanzo, è il simbolo di tutto il mondo puro che viene corrotto dalla capitale, dal potere: nel mezzo di una festa, arriva un bellissimo cavallo bianco che entra in una piscina di fango dove si sporca, si agita fino a diventare nero e, forse, fino a morire.

LA CENA

I due giovani protagonisti riescono ad essere invitati alla cena di Trimalcione, un ex-schiavo che è stato liberato ed è diventato milionario, commerciando e truffando in ogni modo. Petronio lo descrive a lungo, ne presenta la casa, ne racconta la storia e fa di Trimalcione il simbolo dei *parvenu*, ricchissimi ma ignoranti.

Il testo qui sotto è solo una selezione dell'intero capitolo sulla cena, che puoi facilmente trovare in biblioteca o in internet.

L'antipasto fu servito in un vassoio molto grande sul quale c'era un piccolo asino di bronzo che portava due cesti con olive chiare e scure. Intorno c'erano dei ghiri spalmati di miele e cosparsi di polvere di papavero. Sopra una griglia d'argento, poi, friggevano salsicce e sotto la griglia c'erano prugne siriane con chicchi di melograno... Stavamo godendo queste delizie quando Trimalcione venne portato all'interno, con accompagnamento musicale, e venne posato su piccoli cuscini, suscitando il riso in noi imprudenti: solo la testa pelata sbucava dal mantello rosso fuoco, e attorno al collo aveva un tovagliolo con un largo orlo rosso con frange che pendevano di qua e di là.

Nella mano sinistra aveva un grande anello dorato e poi uno più piccolo che sembrava tutto d'oro, incrostato da stelle di ferro. E per non mettere in mostra solo queste ricchezze si scoprì il braccio destro, dove aveva un bracciale d'oro e uno di avorio unito ad una lamina splendente.

Appena ebbe finito di pulirsi i denti con uno stuzzicadenti d'argento, disse:

"Amici, non avevo ancora deciso di venire alla cena, ma per non farvi aspettare troppo mi sono negato ogni piacere. Mi permetterete tuttavia di finire questa partita".

Lo seguiva uno schiavetto con una scacchiera che al posto delle pedine bianche e nere aveva monete d'oro e d'argento.

Seguì una prima portata: su un vassoio rotondo erano disposti in circolo i dodici segni zodiacali e sopra ciascuno il cuoco aveva sistemato il cibo adatto agli invitati nati sotto quel segno. Poi ballando a tempo di musica arrivarono quattro camerieri che tolsero la parte superiore del vassoio scoprendo, sotto, polli e ventri di maiale; al centro c'era una lepre cui erano state aggiunte le ali in modo da sembrare Pegaso.

Poi arrivò un altro vassoio, sul quale c'era un grosso cinghiale femmina, dalle cui zanne pendevano due cestini di foglie di palma, ripieni di datteri freschi e secchi. Intorno al cinghiale, poi, c'erano porcellini fatti di biscotto, che sembravano proprio stare attaccati alle mammelle del cinghiale. Arrivò infine l'ultima portata: un vassoio che conteneva un maiale enorme. Il cuoco prese un coltello e cominciò ad tagliare il maiale: ne vennero fuori salsicce e sanguinacci...

Seguirono, per concludere, non i soliti tordi ma galline ingrassate, una per ciascun invitato, e in più delle uova d'anatra. Il pasticciere offriva ogni tipo di frutta e poi fece servire dei dolci che avevano la forma di tordi ed erano fatti di farina di segale, farciti di uva passa e di noci, con mele cotogne nelle quali erano state conficcate delle spine, in modo che sembrassero ricci di mare.

Ghiri: animaletti simili agli scoiattoli o a grossi topi.
Polvere di papavero: i papaveri sono fiori rossi; dalla loro varietà bianca si estrae l'oppio. I semi del papavero, che sono leggermente stupefacenti, assomigliano a polvere nera.
Làmina: una striscia di metallo.
Mi sono negato ogni piacere: mi sono sacrificato.

Pègaso: il cavallo alato della mitologia greca.
Zanne: i denti degli animali feroci.
Sanguinacci: salsicce fatte con il sangue del maiale.
Tordi: piccoli uccelli.

LA CUCINA NELLA LETTERATURA

FRANCESCO REDI: LA FESTA DI BACCO

Francesco Redi (1627-97) era figlio di un medico che lavorava presso il Granduca di Toscana. A vent'anni si laureò in Filosofia e Medicina a Pisa, poi andò a Roma dove approfondì le proprie competenze in campo umanistico e scientifico. Tornò a Firenze, presso la corte dei Medici, dove tra l'altro studiò le più importanti lingue europee (francese, tedesco, inglese e spagnolo).

Fu membro dell'Accademia della Crusca, dove lavorò al primo vocabolario italiano, e fu anche ricercatore scientifico ed illustre medico, tanto da diventare famoso in tutta Europa. Tra i suoi studi più importanti sono da ricordare le "Osservazioni sulle vipere", le "Esperienze intorno alla generazione degli insetti", le "Esperienze intorno a diverse cose naturali, e particolarmente a quelle che ci sono state portate dalle Indie" e "Le osservazioni intorno agli animali viventi che si trovano negli animali viventi". Tra le altre opere, c'è anche questo poema dedicato al vino!

FRANCESCO REDI

BACCO IN TOSCANA

Il lungo poema inizia con l'arrivo in Toscana di Bacco, dio del vino secondo i greci (che lo chiamavano Dioniso) ed i Romani. Lo accompagna la sua amante, Arianna, alla quale il dio dice:

Se dell'uve il sangue amabile	*Se il vino, il buon sangue dell'uva,*
non rinfranca ognor le vene,	*non dà forza ogni tanto al nostro sangue,*
questa vita è troppo labile,	*questa vita è troppo debole,*
troppo breve, e sempre in pene.	*troppo breve, piena di tristezze.*
Sì bel sangue è un raggio acceso	*Quel bel sangue (il vino) è un raggio di luce*
di quel Sol, che in ciel vedete;	*del sole che vedete in cielo:*
e rimase avvinto e preso	*un raggio che è stato catturato*
di più grappoli alla rete.	*nella rete fatta dai grappoli dell'uva.*
Su su dunque in questo sangue	*Su, su, dunque: con questo sangue (il vino)*
rinnoviam l'arterie e i musculi;	*Facciamo ringiovanire le arterie e i musculi;*
e per chi s'invecchia, e langue	*e per chi sta invecchiando ed è triste*
prepariam vetri maiusculi:	*prepariamo grandi bicchieri:*
ed in festa baldanzosa	*e in una festa allegra*
tra gli scherzi, e tra le risa	*tra scherzi e risate*
lasciam pur, lasciam passare	*lasciamo, lasciamo passare*
lui, che in numeri e in misure	*quella cosa che si avvolge e si consuma*
si ravvolge, e si consuma,	*in numeri e in misure*
e quaggiù Tempo si chiama;	*e che noi chiamiamo Tempo:*
e bevendo, e ribevendo	*bevendo e bevendo*
i pensier mandiamo in bando.	*mandiamo via, in esilio, le preoccupazioni.*

Dopo aver invitato Arianna a bere per rinforzare il sangue e per dimenticare che il tempo passa e piano piano si invecchia, Bacco comincia a fare le lodi dei vari vini francesi, italiani, toscani – e per questa ragione li nomina e li descrive uno per uno, città per città, qualità per qualità.

Nel brano che segue condanna il vino di Lècore ed esalta quello di Montalcino, dove ancor oggi si produce uno dei vini più buoni del mondo.

Accusato, tormentato, condannato
sia colui, che in pian di Lècore
prim'osò piantar le viti;
infiniti capri, e pecore
si divorino quei tralci;
ma lodato, celebrato, coronato
sia l'eroe, che nelle vigne
di Petraia e di Castello
piantò prima il Moscadello.
Del leggiadretto, del sì divino
Moscadelletto di Montalcino [34]
talor per scherzo ne chieggio un nappo [35],
ma non incappo a berne il terzo:
egli è un vin, ch'è tutto grazia,
ma però troppo mi sazia.

La persona che ha piantato per primo delle viti a Lecore (paesino in pianura, vicino a Firenze) sia condannato (perché le viti si piantano in collina): che le capre e le pecore mangino i rami di quelle viti;

ma invece sia lodato, esaltato, incoronato l'eroe che per primo ha piantato il moscato nelle due ville dei Medici, Petraia e Castello (oggi sede dell'Accademia della Crusca, il tempio della lingua italiana). Talvolta per gioco chiedo un bicchiere del delizioso, del divino moscatello di Montalcino, ma non riesco a bere un terzo bicchiere: è un vino molto delicato, ma mi sazia subito (perché è troppo dolce).

Bacco continua a presentare ad Arianna i vari vini, poi arriva alle bevande "nuove", che odia profondamente; vediamole insieme:

Non fia già, che il cioccolatte
v'adoprassi, ovvero il tè,
medicine così fatte
non saran giammai per me:
beverei prima il veleno,
che un bicchier che fosse pieno
dell'amaro e reo caffè.

Non succederà mai che io beva del cioccolato oppure del tè, queste medicine non saranno mai adatte a me: berrei piuttosto del veleno che un bicchiere pieno dell'amaro e cattivo caffè.

Chi la squallida Cervogia
alle labbra sue congiugne
presto muore, o rado giugne
all'età vecchia e barbogia;
beva il Sidro d'Inghilterra
chi vuol gir presto sotterra;
chi vuol gir presto alla morte
le bevande usi del Norte:
fanno i pazzi beveroni
quei Norvegi, e quei Lapponi;
quei Lapponi son pur tangheri,
son pur sozzi nel loro bere.

Chi porta alle sue labbra la squallida birra (si chiamava cervesia in latino, da cui lo spagnolo cerveza) muore presto, non arriva alla vecchiaia che rende stupidi!
Chi vuole morire presto beva il sidro (vino fatto con le mele) dell'Inghilterra!
Chi vuol morire giovane usi le bevande dell'Europa del Nord: fanno delle bevande orrende i norvegesi, i lapponi, che sono dei delinquenti fanno schifo anche quando bevono.

LA CUCINA NELLA LETTERATURA

GIUSEPPE TOMASI DI LAMPEDUSA: LA FESTA DEL GATTOPARDO

GIUSEPPE TOMASI DI LAMPEDUSA (1896-1957)

Palermitano, principe di Lampedusa, duca di Palma e Montechiaro, a 19 anni si iscrive all'Università di Roma, ma viene subito chiamato come soldato nella Prima Guerra Mondiale; nel 1917 è fatto prigioniero e nel 1918 – fuggito dal campo di prigionia – rientra in Italia, ma fa ritorno a Palermo solo nel 1920.

Negli anni seguenti viaggia in Italia ed all'estero e nel 1925 conosce a Londra la principessa Lucy Wolff Stomersee, studiosa di psicanalisi: si sposano nel 1932 in Estonia. Dopo aver partecipato anche alla seconda guerra mondiale, deve fronteggiare in Sicilia una situazione difficile, sia perché molte sue proprietà sono distrutte dalla guerra, sia per i cambiamenti sociali.

Nel 1954, comincia a scrivere *Il Gattopardo*, mentre si dedica anche ad altre opere, ma nel 1957 muore rapidamente di cancro.

Il Gattopardo, che era stato rifiutato dalla Mondadori, viene finalmente pubblicato nel 1958 da Feltrinelli, ha un enorme successo, vince il Premio Strega nel 1959 ed inizia la sua carriera trionfale come il romanzo centrale del Novecento italiano.

"IL GATTOPARDO" DI LUCHINO VISCONTI

Nel 1963, solo cinque anni dopo la pubblicazione del romanzo, *Il Gattopardo* diventa un film che avrà un successo mondiale, malgrado sia troppo lento e raffinato per il gusto del grande pubblico.

Il regista è Luchino Visconti, uno dei maggiori registi del cinema italiano, amante delle ricostruzioni di ambienti dell'Ottocento, come in questo caso: il mondo siciliano, in particolare quello della nobiltà ormai avviata verso un lento declino, è ricreato alla perfezione.

Molto del successo venne anche dall'attore che Visconti aveva scelto per rappresentare il principe siciliano: un attore americano, noto più che altro per film western, che nessuno poteva immaginare in un ruolo così complesso: Burt Lancaster. Fu una sorpresa per tutti: il vecchio cow boy dai capelli rossi sembrava nato Principe e sembrava cresciuto in Sicilia.

IL TIMBALLO DI MACCHERONI

Il Principe di Salina arriva con tutta la sua famiglia per passare i mesi estivi nel feudo di Donnafugata, nel cuore della Sicilia. Come sempre, in occasione dell'arrivo viene organizzato un pranzo per i borghesi del paese, che il Principe disprezza ma che rappresentano la futura classe dirigente, come lui capisce benissimo.

Questo è l'inizio del pranzo, in cui il Principe sconvolge la "moda" dei pranzi ufficiali alla francese – ed è di fronte a questo timballo di maccheroni che nascerà l'amore tra il nipote del Principe e la bellissima figlia di un ricco borghese. Questo pranzo costituisce una delle scene capolavoro del film di Visconti.

La porta centrale del salotto si aprì e "Prann'- pronn" declamò il maestro di casa; suoni misteriosi mediante i quali si annunziava che il pranzo era pronto; e il gruppo eterogeneo si avviò verso la stanza da pranzo.

La porta centrale del salotto si aprì e il maggiordomo (capo dei domestici) disse "Prann'- pronn" pronuncia scorretta di "il pranzo è pronto"; il gruppo composto di persone di diversa qualità sociale andò verso la sala da pranzo.

Il Principe aveva troppa esperienza per offrire a degli invitati siciliani, in un paese dell'interno, un pranzo che si iniziasse con un potage, e infrangeva tanto più facilmente le regole dell'alta cucina in quanto ciò corrispondeva ai propri gusti. Ma le informazioni sulla barbarica usanza forestiera di servire una brodaglia come primo piatto erano giunte con troppa insistenza ai maggiorenti di Donnafugata perché un residuo timore non palpitasse in loro all'inizio di ognuno di quei pranzi solenni.

Il Principe conosceva bene la realtà sociale quindi aveva deciso che un pranzo nel cuore della Sicilia non doveva iniziare con un potage (parola francese che significa "brodo di verdure") e questa decisione di rompere le regole dell'alta cucina gli era comoda perché non gli piaceva il brodo. Ma le informazioni sulla moda francese, tipica di gente di cattivo gusto, di iniziare con un brodo schifoso era arrivata anche tra le persone importanti di Donnafugata, che quindi avevano in cuore ancora un po' di paura ("palpito" è il movimento ritmico del cuore) all'inizio di quei pranzi formali.

Perciò quando tre servitori in verde, oro e cipria entrarono recando ciascuno uno smisurato piatto d'argento che conteneva un torreggiante timballo di maccheroni, soltanto quattro su venti persone si astennero dal manifestare una lieta sorpresa: il Principe e la Principessa perché se l'aspettavano, Angelica per affettazione e Concetta per mancanza di appetito. Tutti gli altri (Tancredi compreso, rincresce dirlo) manifestarono il loro sollievo in modi diversi, che andavano dai flautati grugniti estatici del notaio allo strilletto acuto di Francesco Paolo. Lo sguardo circolare minaccioso del padrone di casa troncò del resto subito queste manifestazioni indecorose.

Per questa ragione quando tre camerieri vestiti con i colori della Casa Salina e con il viso ricoperto di cipria (polvere color pelle che evita che si veda il sudore) portarono tre enormi piatti d'argento con dei timballi di maccheroni, solo quattro persone su venti non fecero vedere il loro sollievo: i padroni di casa perché lo sapevano, Angelica per eccesso di buone maniere e Concetta perché non aveva fame. Tutti gli altri, anche Tancredi (dispiace dirlo, perché è il nipote preferito del Principe) fecero vedere la soddisfazione in modi diversi: il notaio, un funzionario giuridico locale, fece grugniti (i versi di un maiale) dolci come un flauto e pieni di piacere, mentre il figlio del Principe fece un piccolo urlo. L'occhiata del Principe a tutti intorno fece finire queste espressioni maleducate.

Buone creanze a parte, però, l'aspetto di quei babelici pasticci era ben degno di evocare fremiti di ammirazione. L'oro brunito dell'involucro, la fragranza di zucchero e di cannella che ne emanava non erano che il preludio della sensazione di delizia che si sprigionava dall'interno quando il coltello squarciava la crosta: ne erompeva dapprima un vapore carico di aromi, si scorgevano poi i fegatini di pollo, gli ovetti duri, le sfilettature di prosciutto, di pollo e di tartufi impigliate nella massa untuosa, caldissima dei maccheroncini corti cui l'estratto di carne conferiva un prezioso color camoscio.

Senza perdere altro tempo a parlare della buona educazione, tuttavia, bisogna dire che quei pasticci grandi come la torre di Babele meritavano brividi di ammirazione. Il colore di oro e bronzo e il profumo di zucchero e cannella che ne usciva erano solo l'inizio del senso di piacere che usciva quando il coltello apriva la crosta: usciva d'improvviso prima un vapore profumato, poi si vedevano i fegatini di pollo, piccole uova sode, striscioline di prosciutto, di pollo e di tartufo distribuiti nell'insieme unto e caldo dei maccheroncini, ai quali il sugo di carne dava un meraviglioso color beige.

COLLANA:
PROGETTO CULTURA ITALIANA

Il Progetto Cultura Italiana prende origine dall'idea che per la formazione piena di uno studente di italiano – dal liceo all'università, dai conservatori ai seminari e alle accademie d'arte – non si può escludere una dimensione culturale e letteraria. Tuttavia per uno straniero risulta spesso demotivante affrontare testi che sono decisamente al di fuori delle sue competenze linguistiche. Si tratta di progetti a colori (e chi insegna sa l'importanza motivazionale della bellezza fisica di un manuale) che presentano la cultura italiana in forma semplice accompagnando lo studente nella scoperta del nostro patrimonio artistico e culturale.

STORIA E TESTI DI LETTERATURA ITALIANA PER STRANIERI

Paolo E. Balboni
Anna Biguzzi

Insegnare letteratura a stranieri è davvero una sfida: gli autori sono tanti; la lingua letteraria è difficile, molto distante da quella insegnata dai manuali; a molti studenti mancano le coordinate per comprendere il contesto in cui sono state scritte certe opere; per molti studenti studiare letteratura vuol dire studiare testi, analizzarli, più che approfondire la storia della letteratura.
Questa storia letteraria con testi annotati, presentati per un'analisi guidata con esercizi rinnovati rispetto all'opera precedente di P. Balboni e M. Cardona, risponde a questi problemi, cercando di restare in un minimo di pagine, pensando ai problemi dello studente straniero; un lungo capitolo iniziale, anche questo nuovo, dà agli studenti gli strumenti per l'analisi dei testi.

L'ITALIANO ATTRAVERSO LA STORIA DELL'ARTE

Maddalena Angelino
Elena Ballarin

Si può entrare direttamente in contatto con un'opera d'arte e si è spesso in grado di apprezzarla, senza necessariamente passare attraverso una mediazione o una preparazione culturale. Tuttavia, percorsi guidati che stimolino lo studente ad interagire con le opere d'arte e che forniscano nello stesso tempo gli strumenti per tentarne un'interpretazione critica accrescono sicuramente il piacere estetico e culturale di questa esperienza. L'accostamento alle opere - selezionate tra i dipinti, le sculture e le architetture più conosciute - avviene attraverso testi facilitati, arricchiti da un glossario specialistico, seguiti da attività linguistiche e da spunti per la riflessione. In ogni capitolo, grazie alle schede sugli artisti e alle note di approfondimento, lo studente trova anche le informazioni utili per comprendere il contesto nel quale le singole opere sono state prodotte e per metterle in relazione con la cultura del tempo. La facilitazione linguistica consente di proporre un viaggio artistico nell'Italia dell'arte attraverso la sua lingua che diventa veicolo e collante per lo studente di italiano.

PROFILO DI STORIA ITALIANA PER STRANIERI

Paolo E. Balboni
Matteo Santipolo

Il Profilo di storia italiana per stranieri, pensato per studenti non parlanti nativi di italiano, copre gli avvenimenti accaduti in Italia dall'epoca pre-romana fino ai giorni nostri, presentando parallelamente i principali fatti occorsi in Europa e nel mondo. Molto curato nella veste grafica, con numerose illustrazioni, scritto in un linguaggio semplice, ma non semplicistico, il volume è reso ulteriormente accessibile da note linguistiche e culturali, che guidano il lettore ad una maggiore comprensione delle vicende esposte. Al termine di ogni capitolo vengono proposte tre sezioni di approfondimento relative all'epoca presentata: una descrizione del paesaggio dell'Italia, attività per la fissazione e la riflessione degli argomenti e brani tratti da testi di storia di autori classici o contemporanei. L'opera è integrata da 5 poster di grandi dimensioni che lungo una " linea nel tempo" rendono visibile a tutti la storia del nostro paese.

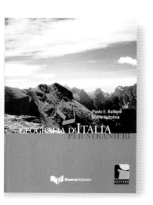

GEOGRAFIA D'ITALIA PER STRANIERI
Paolo E. Balboni
Maria Voltolina

L'ITALIANO È SERVITO!
Maria Voltolina

QUADERNI DI CINEMA ITALIANO
Paolo E. Balboni

CD LIBRI
Dante Foscari

Per chi studia la lingua la conoscenza del territorio in cui essa è parlata è utile, ma per gli studenti di italiano questa necessità è particolare: la principale caratteristica dell'Italia è la sua varietà, la differenza di cultura, cucina, mentalità, storia tra le varie Regioni. Questo volume presenta quindi l'Italia nel contesto geografico europeo e poi le varie regioni, con schede sulle città, le vie di comunicazione, gli aspetti strettamente geografici, ma anche pagine dedicate al modo di vivere, alla cucina, alla storia, all'economia delle singole regioni; un importante apparato di foto e altre illustrazioni rende "vive" le regioni italiane anche a chi vive in altri continenti. C'è poi una serie di schede conclusive in cui si trattano temi come l'industria, l'agricoltura, il turismo, il sistema finanziario, quello culturale, ecc. La lingua è controllata, adatta a studenti stranieri di livello intermedio; molti dei termini specifici sono spiegati con foto o perifrasi e c'è una serie di attività per l'appropriazione della microlingua specifica della geografia fisica e antropica.

Ovunque nel mondo, uno degli elementi culturali che si legano all'idea di Italia è la cucina - non tanto pasta, vino, ecc..., quando la "cucina" o, meglio, la "cultura del cibo" che caratterizza la nostra tradizione.
La cucina è uno degli elementi forti del made in Italy, in termini di esportazioni di beni e di presenza di italiani nel mondo, ma è anche una buona occasione per cogliere uno dei dati essenziali della cultura, il legame tra ogni territorio e delle espressioni di cultura, dell'identità italiana: la sua diversità, il legame tra ogni territorio e le espressioni di cultura materiale. Il volume di Maria Voltolina lega questi aspetti: per ciascuno dei vari temi (il pane, il vino, i primi, ecc...), si offrono insieme riflessioni culturali, informazioni sul lessico particolare della cucina, ricette - il tutto con un'attenzione linguistica ai modi di dire, all'uso dei verbi, e così via. In tal modo lo studente di livello almeno B1 può unire "l'utile al dilettevole" e parlare italiano (usando piatti anziché parole) anche quando invita a cena i suoi amici che non sanno nulla di italiano ma sanno che il nostro cibo è il frutto di una storia millenaria.

Far vedere un film agli studenti che stanno imparando italiano è molto motivante, ma anche abbastanza difficile. Questa collana cerca di venire incontro a questo problema con una serie di Quaderni dedicati ai film italiani più famosi.
Si individuano alcune scene chiave che vanno viste insieme alla classe. Gli studenti quindi entrano dentro la storia, conoscono i personaggi, si abituano alla varietà di italiano usata nel film, ci lavorano sopra - e poi possono passare alla visione completa del film, basandosi sulla comprensione globale delle scene non incluse nel quaderno. Questi volumetti comunque non riguardano solo il film, ma anche l'autore, il regista, i luoghi: interviste, snelle biografie, link su internet per approfondimenti, oltre che tutta una serie di attività relative all'analisi e revisione morfologica e sintattica e momenti di riflessione sul lessico, sui modi di dire e le frasi idiomatiche presenti nel film. In tal modo l'esperienza di qualche scena diventa una chiave d'accesso alla cultura italiana degli ultimi cinquant'anni, quelli che hanno visto sia la grande stagione neorealista, ma anche quelli del nuovo cinema italiano.

È una collana nata per permettere di usare la musica, una delle grandi forme della nostra cultura, nell'insegnamento dell'italiano.
Nei *CDlibri* d'opera, si offrono una sintesi del contenuto di ogni scena, per guidare l'ascolto, e le trascrizioni (con parafrasi in italiano moderno, a fronte) delle arie più significative, accompagnate da attività di comprensione e riflessione.
Nei *CDlibri* sulla canzone d'autore, vengono presentate alcune canzoni con apparato di note, dove necessario, e attività didattiche pensate anche per livelli di conoscenza non avanzati.
In entrambi i casi, si trova un'introduzione sul musicista cui è dedicato il *CDlibro*.

Finito di stampare nel mese di febbraio 2009
da Grafiche CMF - Foligno (PG)
per conto di Guerra Edizioni - Guru s.r.l.